CB035028

FERREIRA GULLAR

CRÔNICAS PARA JOVENS

Seleção, Prefácio e Notas Biobibliográficas

ANTONIETA CUNHA

1ª Edição, Global Editora, São Paulo 2011
2ª Reimpressão, 2014

Diretor Editorial
Jefferson L. Alves

Seleção
Antonieta Cunha

Edição
Cecilia Reggiani Lopes

Gerente de Produção
Flávio Samuel

Coordenadora Editorial
Dida Bessana

Assistente de Produção
Jefferson Campos

Assistente Editorial
João Reynaldo de Paiva

Revisão
Iara Arakaki
Luciana Chagas

Foto de Capa
Leticia Moreira/Folhapress

Projeto Gráfico e Capa
Eduardo Okuno

Editoração Eletrônica
Tathiana A. Inocêncio

Dados Internacionais de Catalogação na Publicação (CIP)
(Câmara Brasileira do Livro, SP, Brasil)

Gullar, Ferreira.
Ferreira Gullar : crônicas para jovens / seleção, prefácio e notas biobibliográficas Antonieta Cunha. – 1ª ed. – São Paulo : Global, 2011. (Coleção Crônicas para jovens).

Bibliografia
ISBN 978-85-260-1520-3

1. Crônicas brasileiras. I. Cunha, Antonieta. II. Título. III. Série.

10-09082 CDD-869.93

Índices para catálogo sistemático:

1. Crônicas : Literatura brasileira 869.93

Global Editora e Distribuidora Ltda.

Rua Pirapitingui, 111 – Liberdade
CEP 01508-020 – São Paulo – SP
Tel.: (11) 3277-7999 – Fax: (11) 3277-8141
e-mail: global@globaleditora.com.br
www.globaleditora.com.br

Obra atualizada conforme o **Novo Acordo Ortográfico da Língua Portuguesa**

Nº de Catálogo: **3186**

FERREIRA GULLAR

CRÔNICAS PARA JOVENS

BIOGRAFIA DA SELECIONADORA

Maria Antonieta Antunes Cunha é doutora em Letras e mestre em Educação pela Universidade Federal de Minas Gerais (UFMG). Professora aposentada da Faculdade de Letras da UFMG, hoje coordena cursos de especialização da Pontifícia Universidade Católica (PUC-MG). Editora e pesquisadora na área de leitura e literatura para crianças e jovens, tem planejado, coordenado e executado vários projetos nesse campo, entre eles, o Cantinhos de Leitura, da Secretaria de Estado da Educação de Minas Gerais, adotado posteriormente em vários estados brasileiros. Foi a criadora e a primeira diretora da Biblioteca Pública Infantil e Juvenil de Belo Horizonte. Tem mais de trinta livros publicados, entre didáticos e de pesquisa. Por dois mandatos foi presidente da Câmara Mineira do Livro. Foi secretária de Cultura de Belo Horizonte, de 1993 a 1996, e presidente da Fundação Municipal de Cultura de Belo Horizonte, de 2005 a 2008.

A CRÔNICA

Muito provavelmente, a crônica, se não é o gênero literário mais apreciado, é o mais lido no Brasil. Ela tem, sobre os outros, a vantagem de comumente se apresentar em jornais e revistas, o que aumenta muitíssimo seu público potencial. Outro ponto que conta a favor da crônica, considerando-se o público leitor em geral, é que ela é uma composição curta, uma vez que o espaço no jornal e na revista é sempre muito definido.

Mas essas mesmas características podem pesar contra a crônica: em princípio, ela é tão descartável quanto o jornal de ontem e a revista da semana passada, seja pela própria contingência de aparecer nesses veículos, seja pelo fato de, na maioria dos casos, correr o risco de não se constituir como página literária. Vira "produto altamente perecível" e realmente desaparece, a não ser em casos especiais: um fã ardoroso, que coleciona tudo do autor; um assunto palpitante para o leitor, que recorta e guarda o texto com cuidado; o arquivo do periódico...

Se o autor tem lastro literário e é reconhecido como escritor, crônicas suas, consideradas mais significativas, pelo assunto e pela qualidade estética, são selecionadas para virar livro – como é o caso deste que você começa a ler.

Digamos, ainda, que muitos consideram este um gênero literário tipicamente brasileiro, pelo menos com as características que assumiu hoje, e que conseguiu uma façanha: introduzir no cenário literário nacional um autor que só escreveu crônicas: Rubem Braga. Outros cronistas, antes e depois dele, eram ou são reconhecidos romancistas, poetas ou dramaturgos, como Machado de Assis, Rachel de Queiroz, Olavo Bilac,

Cecília Meireles, Paulo Mendes Campos, Carlos Drummond de Andrade, Affonso Romano de Sant'Anna, Alcione Araújo, Nelson Rodrigues...

Mas a crônica cumpriu uma longa trajetória até chegar ao que é, nos dias de hoje, no Brasil.

Inicialmente, na Idade Média e no Renascimento, o substantivo "crônica" designava um texto de História, que registrava fatos de determinado momento da vida do povo, em geral com o nome de seu governante, rei ou imperador. (Afinal, sabemos que a História, sobretudo a mais antiga, narrava os fatos do ponto de vista do vencedor.) E – claro! – essas crônicas não apareciam em jornais e revistas: contavam basicamente com os escrivães dos governantes. Assim, temos a *Crônica de Dom João I*, a *Crônica de 1419 de Portugal*.

Esse sentido histórico da palavra pode aparecer, eventualmente, como recurso literário, usado pelo autor para fazer parecer que está escrevendo História. Convido você a conhecer dois belos exemplos disso em obras que já se tornaram clássicos da literatura mundial: a novela *Crônica de uma morte anunciada*, do colombiano Gabriel García Márquez, e o romance *A peste*, do francês Albert Camus.

No Brasil, a crônica nos periódicos veio importada da França, ainda em meados do século XIX, cultivada por escritores como Machado de Assis, José de Alencar e Raul Pompeia, que no jornal escreviam folhetins (romances em capítulos) e crônicas. E acredite: a crônica era sisuda, nesse tempo, e o folhetim era considerado "superficial", de puro entretenimento.

Como página séria, pequeno ensaio sobre temas políticos, críticas sociais, reflexões, durou muito tempo, embora, aqui e ali, aparecesse algum traço embrião do(s) estilo(s) da crônica atual.

É a partir da metade do século XX, com autores consagrados, como Vinicius de Moraes, Millôr Fernandes, Otto Lara

Resende, entre outros já citados, que o gênero adquire, definitivamente, uma identidade brasileira, com o uso "mais nacional" da língua portuguesa, e possibilitando, liberdade quase absoluta, qualquer recorte que desejar dar-lhe seu autor.

De fato, observados os limites impostos pelo suporte em que aparece, a crônica torna-se um gênero em que cabe tudo – inclusive outros gêneros: casos, cartas, pequenas cenas teatrais, poemas, prosas poéticas, imitações da Bíblia, diários etc. Nela cabem também todas as abordagens, todos os tons, do lírico ou dramático ao mais refinado humor ou escancarado deboche.

Daí, talvez, o encantamento do leitor pela crônica: dificilmente ele não encontrará, no gênero, a forma e o tom literários que ele prefere.

No caso das crônicas de Ferreira Gullar selecionadas para este livro, você perceberá que muitas delas narram pequenos acontecimentos ligados ao cotidiano comum (ou quase) do autor, em situações sobretudo divertidas. Outras nos apresentam o Brasil e os brasileiros, com seus problemas e traços mais característicos. Mas há também as de reflexão, às vezes meio doloridas, sobre as marcas do homem, e as de memória, em que surgem amigos e impressões significativas de tempos difíceis, do início de carreira no Rio, ou do tempo da ditadura brasileira, de 1964 a 1983. Por fim, há algumas que evidenciam seu encantamento com a infância.

ANTONIETA CUNHA

SUMÁRIO

Ferreira Gullar, a simplicidade ao vivo e em (discretas) cores 15
O riso de cada dia 23
Mania de perseguição 25
Supersticioso, eu? 28
Frango tite 31
Duas e três 34
Solidariedade 36
Cabo de domingo 39
A estante 41
O Brasil e os brasileiros 43
Ah, a imagem do Brasil 45
Eleitor 49
Reforma agrária 51
Pedro Fazendeiro 53
Risco Brasil 55
Risco Brasil II 58
Tem gringo no samba 61
Memórias quase divertidas 65
O galo 67
Meu igual, meu irmão 69
Bons tempos difíceis 72
Encontro em Buenos Aires 75
O famoso desconhecido 79
Quando nos falha a memória 82
O avesso da cidade 85
A sábia fala das crianças 87
Pais e filhos 89
Corua 92
Tem sol pequeno 93
A fuga 95
Pensando bem... 97
Os aforismos da crase 99
Maravilha 101

O melhor de nós 103
Drummond, uma parte de mim 105
Além do possível 108
Homem invenção do homem 110
Palavras, palavras... 112

FERREIRA GULLAR, A SIMPLICIDADE AO VIVO E EM (DISCRETAS) CORES

Passei um *e-mail* a Ferreira Gullar, solicitando-lhe a entrevista que você vai ler mais adiante.

Tenho de confessar minha surpresa: em menos de dez minutos, recebi sua resposta, pondo-se à disposição para me receber. Definitivamente, eu estava com sorte, e também você, leitor, por tabela!

Três semanas depois, lá estava eu apertando a campainha do seu apartamento, em Copacabana, Rio de Janeiro.

Mais uma confissão: apesar de veterana, acostumada a encontros e até convivência com autores muito especiais, tive de conter a emoção diante do Poeta, para que ela não parecesse simples tietagem...

Ele mesmo me abre a porta: magro, quase pequeno, os cabelos brancos e lisos caindo mais para os lados do rosto. A impressão de certa fragilidade desaparece quando começa a falar. A tranquilidade e solidez dos argumentos são, ao vivo e em cores, as que se mostram nos seus escritos.

Nossa longa conversa, você a conhecerá mais adiante. Porque, agora, me parece importante você conhecer alguns dados de sua biografia, para melhor apreciar suas respostas.

José Ribamar Ferreira nasceu em 1930, em São Luís do Maranhão, onde muita gente, de qualidade poética e pessoal variável, tem este nome. Pois, confundido com outro poeta da terra, resolve, aos dezoito anos, mudar seu nome: virou Ferreira Gullar – o segundo "sobrenome" possivelmente extraído do sobrenome da mãe, Goulart.

Essa mudança, aparentemente simples, é o prenúncio da busca incessante de caminhos próprios, da valorização da poesia, do voo autônomo, da independência de atitudes e decisões que vão caracterizar sua vida.

Com quinze anos, ao ter reconhecida pela professora a qualidade de um texto sobre o Dia do Trabalho e cinco pontos descontados por causa de "erros de gramática", resolveu abdicar do futebol de rua com os amigos para "estudar gramática".

Aos dezenove anos, publica seu primeiro livro de poemas, custeado pela mãe e por ele mesmo. Aos vinte anos, ganha um concurso nacional de poesia, prêmio conferido por um júri muito qualificado: Manuel Bandeira, Odylo Costa Filho e Willy Lewin. Com certeza, esse prêmio o animou a deixar as experiências de trabalho como locutor e "assessor político" no Maranhão e partir para o Rio de Janeiro, onde a luta não seria fácil. Os empregos variados e distantes de seus sonhos foram interrompidos pela tuberculose, tratada por quase um ano em Correas.

De volta ao Rio, as coisas melhoram, não só com relação a empregos, mas também ao contato com pessoas que contribuem para sua formação – início da carreira de um dos maiores poetas, reconhecido internacionalmente, e também de um dos intelectuais mais importantes do Brasil, com um extraordinário leque de atividades bem-sucedidas.

No campo da literatura, escreveu alguns dos livros de poesia mais importantes e reeditados do Brasil, como *Luta corporal* e *Poema sujo*. No campo da cultura e da crítica de arte, sobretudo das artes plásticas, escreveu obras fundamentais, como *Cultura posta em questão* e *Argumentação contra a morte da arte*.

Parece muito, não é? Não é, em se tratando de Ferreira Gullar.

Na área do teatro e do teleteatro, teve atuação importantíssima. Foi parceiro de Millôr Fernandes, Flávio Rangel, Oduvaldo Vianna Filho – o Vianninha – e Dias Gomes, monstros da dramaturgia brasileira. Com Vianninha fez, por exemplo, *Se correr, o bicho pega, se ficar o bicho come*, uma obra-prima do teatro "brasileiro", representada na época da ditadura. Com Dias Gomes, fez várias minisséries para a TV Globo, como *As noivas de Copacabana*.

Tudo isso foi produzido em meio a uma atuação fundamental no cenário cultural e político do país. Foi integrante e depois diretor do Centro Popular de Cultura, da União Nacional dos Estudantes, que teve grande importância na luta por reformas políticas e foi fechado pela ditadura. Depois, com outros intelectuais, como Vianninha, Paulo Pontes, Armando Costa e Thereza Aragão (sua primeira esposa, falecida em 1993), fundou o Teatro Opinião, núcleo de resistência política na época da ditadura – o que lhe valeu exílio e prisão.

Tradutor premiado de obras importantes da literatura mundial, como *Cyrano de Bergerac*, de Edmond Rostand, *Dom Quixote*, de Cervantes, *Fábulas*, de La Fontaine, e *As mil e uma noites*, fez também traduções de obras ligadas às artes plásticas, a respeito de Van Gogh, Cézanne e Rembrandt.

Escreveu catorze livros de poesia, alguns dos quais foram traduzidos para quinze países. Tem nove livros de ensaios, quatro de teatro, cinco de literatura infantil e juvenil, quatro de crônicas, além de memórias e biografia.

Os inúmeros prêmios e homenagens recebidos não tiraram nem a simplicidade de seu cotidiano, nem a busca incessante da melhor forma de expressão, sobretudo poética, pois é especialmente na poesia que julga estar inteiro como parte da humanidade.

AC – Gullar, me agrada muito essa ideia sua de que a poesia é tão importante, que você não pode ter para com ela uma atitude leviana, daí só escrever a poesia necessária. Você tem poemas engavetados, trabalha muito os poemas, descarta muitos?

Gullar – Eu demoro muito a escrever. Só escrevo quando algo da realidade, antes não percebido, se revela para mim. Aí vem a necessidade de escrever.

Quando vem essa necessidade, eu me empenho, me concentro na criação do poema, e em geral o poema se define. Pode não estar ainda pronto, e volto a ele quanto precisar, mas o importante é acontecer o disparo que faz nascer o poema. E isso não depende de mim, é incontrolável. Pode ocorrer de surgirem vários poemas muito próximos, mas o mais comum é o contrário. E juntar poemas para constituírem um livro pode demorar muito.

Por isso, demoro muito a publicar. Meu último livro de poesia, *Muitas vozes*, é de 1999. Lá se vão dez anos...

AC – Mas, quando observamos as datas das edições de seus livros, vemos que eles têm às vezes duas edições no mesmo ano. No entanto, sabemos da resistência das editoras em publicar poesia. O que me diz disso?

Gullar – De fato, meus livros têm muitas reedições, e isso me gratifica, mas somente um livro meu, o *Poema sujo*, publicado em 1976, teve uma venda excepcional, a ponto de fazer parte das listas dos mais vendidos. Hoje está na 18ª edição. Mas não desconheço as dificuldades dos jovens poetas.

De todo modo, devo dizer que o início da carreira foi muito difícil para mim, como foi para o Drummond, para o Bandeira. Meu primeiro livro, *Um pouco acima do chão*, foi editado em 1949 com a ajuda da minha mãe e com economias minhas. O segundo livro também foi bancado por mim. Na verdade, só tive um livro publicado por uma editora em 1962. Foi a José Álvaro, que editou *A luta corporal e novos poemas*.

Hoje, os iniciantes têm a vantagem da internet e outros processos de divulgação, mas nada é como o livro, que possibilita a crítica, essencial, na minha opinião, para o escritor.

AC – Parece que você escreveu mais no período entre 1960 e 1980. Você considera que os tempos de ditadura, que você viveu de modo tão intenso, eram especialmente inspiradores?

Gullar – Não. Sempre insisto neste ponto: não me considero um poeta político. Sou uma pessoa política, o que é muito diferente. Posso dizer que só tenho um livro preponderantemente político, com poemas feitos entre 1962 e 1975, que é *Dentro da noite veloz*.

É claro que, na ocasião da ditadura e mesmo um pouco antes, as questões sociais e políticas me absorviam muito, e isso se refletia nos meus poemas. Mas outros temas estavam sempre presentes nos meus livros.

Hoje, os problemas políticos e sociais são menores, ou de outra ordem, e não há por que tê-los como tema recorrente.

AC – Muitos consideram que durante certo tempo, no início dos anos 1960, sua poesia tendeu para o laboratório, o experimentalismo, caminho que você abandonou rapidamente...

Gullar – Digo sempre que nunca tive como proposta fazer poesia de laboratório. Nem mesmo *Luta corporal*, que busca uma exploração nova da linguagem, teve esse objetivo. Tanto, que termina na implosão da linguagem. Como não foi programado, isso me deixou sem rumo, entrei em crise, o que já havia acontido em outras ocasiões. Em cada crise, procuro vários caminhos. Foi assim à época do concretismo e quando fiz o *Poema enterrado*, no neoconcretismo. Minha única obra planejada, com um projeto claro, é exatamente aquela feita por engajamento político, quando as questões sociais e a reforma agrária me absorviam de tal forma que comecei a fazer poesia de cordel: *João-Boa-Morte*: cabra marcado para morrer (1962), *Quem matou Aparecida* (1962), *História de um valente* (1966). E é essa a minha produção que eu faço restrições literárias.

AC – Você mais recentemente começou uma incursão na literatura para crianças e jovens. Como aconteceu isso?

Gullar – Como tudo na minha vida, isso também aconteceu por acaso. Ligaram-me da Salamandra, pedindo um texto para crianças. Argumentei que nunca tinha feito nada para esse público, mas, diante da insistência, falei de uns poemas que tinha feito a respeito do meu gatinho, e sem nenhuma intenção de dirigi-los a crianças. A editora topou publicar *Um gato chamado Gatinho*. Tentei que meu neto, que vivia desenhando bichos, ilustrasse os poemas. Achei que isso, sim, poderia ser interessante. Mas ele não se interessou: disse que só desenhava bichos em extinção.

AC – E o livro foi lindamente ilustrado por Angela Lago, ganhou prêmio e acaba de ser selecionado para um programa do MEC...

Gullar – É, as ilustrações dela são fantásticas... Depois, fiz pequenos contos relatando fatos e situações da minha infância e adolescência em São Luís, e publiquei *O touro encantado*. Em seguida, veio *O rei que mora no mar*, da Global. Livro escrito mesmo para o público infantil foi *Doutor Urubu*, em torno de animais, como os livros da minha infância.

AC – Você teve uma produção teatral muito importante. Como criação, o teatro não lhe interessa mais?

Gullar – Meu interesse pelo teatro como criação apareceu forte na época do Teatro Opinião. Não só convivi muito com a produção teatral, como comecei a estudar a linguagem dramática, que é muito especial.

Era um momento muito difícil da ditadura, com uma censura terrível sobre o teatro. Houve, na época, uma devastação no nosso teatro, com um número absurdo de obras e espetáculos censurados. Foi quando Vianninha e eu resolvemos fazer um texto teatral de tão alta qualidade literária, que os censores não entendessem e o considerassem "acima de qualquer suspeita". Era a forma de tentar burlar a censura e dar nosso recado.

Na pré-estreia, como sempre feita exclusivamente para a censura, com o pânico instalado (afinal, ela podia derrubar meses de trabalho, muito tempo e dinheiro investidos), vimos os censores às gargalhadas, impressionados com a peça. Ficamos aliviados, e nosso plano tinha dado certo.

Na televisão, Dias Gomes me convidou para algumas parcerias, escrevi episódios de *Carga pesada* e fiz adaptações de clássicos. Mas esse não é mesmo meu campo principal de criação...

AC – Outra área em que tem atuado com sucesso é o das traduções. Você traduziu obras da literatura mundial e livros muito importantes em torno da arte. Você escolheu fazer essas traduções, ou foram encomendadas?

Gullar – Foram encomendadas, mas fiz as traduções com grande prazer. No caso de *Cyrano de Bergerac*, Flávio Rangel me pediu uma nova tradução, porque a existente era inviável para ser levada ao palco. Fiz adaptações que tornaram as falas mais fáceis para os atores e mais palatáveis para o público. Troquei o verso de doze pelo de dez sílabas, criei uma rima mais espontânea, numa linguagem mais fluente. Em *Dom Quixote*, procurei privilegiar não os episódios, mas os diálogos entre Dom Quixote e Sancho Pança, as reflexões. Tentei modernizar a linguagem, ainda que conservando o tom da narrativa original. Enfim, procurei fazer desse livro apaixonante, mas difícil (foi o livro que me acompanhou à prisão), uma história mais acessível para o jovem de hoje. Com as *Fábulas* de La Fontaine, tive a mesma preocupação, adequando inclusive a "moral da história", às vezes.

AC – Desde adolescente, você demonstrou um grande interesse pelo estudo da língua. O caso do estudo da gramática, depois dos pontos tirados na redação, pela professora, é emblemático. Você acha importante o estudo da gramática?

Gullar – Acho, sim, importante conhecer as possibilidades da língua. Incomoda-me ver a língua empobrecida, na televisão, nos jornais, pelos que deveriam falar a norma culta. Temo pela desagregação da língua, quando não há o mínimo esforço de reorganização da desordem, do descuido com a língua. Os pronomes reflexivos desaparecem, vários demonstrativos também, e com isso se perde a riqueza da língua, suas variedades, que só existem porque têm um sentido.

AC – E o que me diz desse novo acordo ortográfico?

Gullar – Uma maluquice! É uma lei autoritária, que pretende uma unificação impossível e indesejável. Ninguém deixou de ler por causa das diferenças (pequenas, e, na minha opinião, importantes) que havia, nem vai ler por causa dessa dita uniformização.

AC – Um dado significativo de sua trajetória é que você sempre escolheu o que estudar – e estudou com afinco. Você é um excepcional exemplo de autodidata. O que diria para os jovens, com relação ao estudo, dentro e fora da escola?

Gullar – Eu diria a eles que o estudo formal, desenvolvido nas escolas, é absolutamente fundamental, e cria bases importantes para o conhecimento. Mas não é suficiente, e cada um tem de procurar outros estudos que sejam importantes para o caminho que quer seguir. Nem todo mundo tem de ir para a universidade, nem ser doutor. Tudo depende dos planos de cada um e de quanto cada um próprio investe nas suas buscas. A vida é inventada por nós, a cada momento, e cada um tem de descobrir como fazer para se formar e se inventar como pessoa e como cidadão.

AC – Como já lhe disse, esta entrevista vai ser publicada numa coleção de crônicas suas, voltada especialmente para os jovens. O que você lhes diria a respeito da leitura?

Gullar – A leitura é rigorosamente essencial. É o conhecimento, a cultura, que faz os homens especiais, diferentes dos outros animais. O homem pensa, se inventa o tempo todo, e para isso ele precisa da leitura. A leitura é constitutiva do ser humano e dá sentido à sua existência.

Os nossos dois últimos governos têm percebido esse caráter essencial da leitura, e têm investido na compra de livros para as escolas brasileiras. Essa é uma ajuda substancial e louvável e pode fazer a diferença, num ensino de qualidade, que ainda não conseguimos, mas que tem de ser o nosso objetivo maior.

O RISO DE CADA DIA

MANIA DE PERSEGUIÇÃO

Não sei se sou azarado ou sortudo. Se é verdade que, numa boa parte da vida, comi do pão que o Diabo amassou, devo admitir, hoje, vendo de longe, que foi melhor comer isso que nada.

De qualquer modo, por esta ou por outra razão qualquer, ando ultimamente com uma espécie de miniparanoia, considerando-me, mais que os outros, vítima frequente da Lei de Murphy. Por exemplo: no momento mesmo em que, aproveitando que os carros vêm longe, atravesso a rua, tem sempre um outro cara que decide atravessar, no mesmo instante, em sentido contrário e na minha direção! Sou então obrigado a desviar dele e já aí os carros se aproximaram ameaçadoramente, deixando-me assustado e tenso. Por que isso?! Querem outro exemplo? Digamos que eu esteja com pressa e caminho velozmente pela calçada da Avenida Copacabana: surgirá em minha frente um sujeito empurrando vagarosamente uma carrocinha de sorvete e, se tento ultrapassá-lo pela direita, ele vira para a direita; se tento pela esquerda, ele vira para a esquerda! Parece perseguição, penso comigo, esforçando-me para afastar a ideia maluca de que sou perseguido por alguma entidade maligna. Isso me faz lembrar o caso de um sujeito que não saía de casa com medo de sofrer algum acidente fatal. Um dia ele saiu e foi vítima de uma bala perdida.

Nada a ver comigo, que estou sempre na rua, como já se viu. E, se é na rua que essas coisas me acontecem, nem por isso penso em me trancar em casa. Mas, voltando à paranoia, meu carro agora deu para furar o pneu. Faz seis meses, fui visitar um amigo em Santa Teresa e deixei o carro junto ao meio-fio. Quando voltava para casa, percebi que o pneu estava vazio e tive que trocá-lo sem ajuda de ninguém, pois era tarde da noite e a rua estava deserta.

Pois bem, a mesma coisa aconteceu-me semana passada, mas com uma pequena diferença: chovia, ou melhor, caía um pé-d'água. A Cláudia estava comigo e tínhamos ido ao lançamento do livro de um amigo no Leblon. Para chegar à livraria já foi um desespero, porque, além de chover, era no começo da noite: engarrafamento para todos os lados. É verdade que eu, mais uma vez, errei o caminho, e por isso nos metemos numa enrascada ainda maior. Na hora de estacionar, claro, não havia lugar. Dei outra volta no quarteirão e consegui finalmente uma vaga para deixar o carro. E exatamente lá havia um prego à minha espera. A caminho de casa, mal andamos cinco quarteirões, percebi que uma das rodas da frente apresentava algum problema...

– Pneu furado de novo?! – pensei comigo. Não acredito! Parece perseguição!

Meu primeiro impulso foi encostar o carro em qualquer lugar, abandoná-lo ali e seguir para casa de táxi. Mas logo pensei nas consequências futuras e me submeti: parei o carro e tratei de trocar o pneu furado. É aquele negócio: afrouxa os parafusos, levanta o carro com o macaco, tira o pneu furado... Só que, quando peguei o estepe, verifiquei que ele também estava vazio.

– Não acredito – gritei – e sentei no meio-fio, a ponto de começar a chorar. A chuva começou a cair mais forte ainda.

Foi quando apareceram sete pessoas vestidas de vermelho. Uma delas aproximou-se de mim e perguntou se eu precisava de ajuda.

– Somos os Anjos da Guarda – disse-me ele. E de fato no peito de cada um deles havia a inscrição "Anjos da Guarda".

Esses anjos providenciais foram comigo até um posto de gasolina que havia a quatro esquinas dali, enchemos o estepe e voltamos sorrindo debaixo do aguaceiro. Eles puseram o pneu no lugar, guardaram o furado e as ferramentas na mala do carro.

– Tudo pronto, amigo.

Apertei-lhes a mão, mas a minha vontade era beijá-los, um a um.

– Estamos sempre nas ruas para combater o crime e prestar socorro a quem necessite, disse o que falava português, porque os demais falavam espanhol e japonês.

Sem acreditar direito no que acabara de acontecer, entrei no carro e tomei o rumo de casa.

– Foi muita sorte – disse Cláudia.

– Mas tenho que tomar cuidado – respondi. Todo mundo só tem direito a um anjo da guarda. Eu acabo de dispor de sete. Estourei minha cota!

SUPERSTICIOSO, EU?

Não sou supersticioso. É claro que, se vou pela rua e vejo uma escada em meu caminho, não passo embaixo dela, não porque ache que dá azar, mas por temer que caia alguma coisa em minha cabeça. Do mesmo modo com relação ao número 13, de que os americanos têm tanto medo que muitos de seus edifícios não têm o décimo terceiro andar: pula do décimo segundo para o décimo quarto. E quando junta esse azarado número à sexta-feira, aí tem gente que nem sai de casa: sexta-feira treze! Deus me livre e guarde! Pois eu não, estou pouco ligando. Bom, se puder tomar o avião na quinta-feira ou no sábado, prefiro. Mas não por superstição, é que não vou dar chance ao azar...

Mas, como disse, supersticioso não sou. É verdade que algumas coisas me deixam grilado, como certas coincidências. Por exemplo, tenho observado que, toda vez que vou cruzar a rua fora do sinal, vem sempre alguém em sentido contrário e na minha exata direção! Que isso aconteça uma vez ou outra, tudo bem, mas todas as vezes deixa o cara cabreiro. No começo não dei importância. Lembro-me de uma vez que, ao atravessar a avenida Nossa Senhora de Copacabana, em frente à praça do Lido, lembrei-me de ter esquecido sobre o balcão da farmácia a carteira de dinheiro. Decidi voltar num relance, e não é que uma senhora surge à minha frente empurrando um carrinho de compras e me atropela? Dei com a canela no metal do carrinho e, louco de dor, pulando numa perna só, entrei na farmácia em busca da carteira. Só que, ao entrar, colido com um empregado que vem em minha direção sobraçando caixas de remédio. Felizmente, minha carteira tinha sido recolhida pelo rapaz que me atendera. Ao menos isso, pensei comigo, passando a mão na canela que ainda doía.

São meras coincidências, dirá o leitor. "É que você é avoado demais", dirá a Cláudia, minha mulher.

– Eu sou avoado?! Que injustiça!

– Pelo menos é desligado. Você não me levou ontem para uma noite de autógrafo que só vai acontecer na semana que vem?

– Isso é golpe baixo, não mistura as coisas!

– Não estou misturando. Você não presta atenção para nada.

– Só porque...

– E o jantar na casa do Ivo, tá lembrado? Você me fez ir ao cabeleireiro, comprar vestido novo, me emperequetar toda pra depois pagar aquele mico? "Vocês por aqui? O jantar é amanhã!"

– Mas não pode negar que foi muito engraçado!

– Engraçado! Uma vergonha! Até hoje, quando me lembro, tenho vontade de sumir!

– Não exagera. Todo mundo sabe que poeta é mesmo pirado.

É do conhecimento geral que a mulher da gente sempre nos culpa de tudo o que acontece de errado. Se um ônibus nos fecha, a culpa é nossa que dirigimos sem atenção; se o restaurante está lotado, a culpa é nossa que temos fixação naquele restaurante.

É que ela faz questão de desconhecer a Lei de Murphy, segundo a qual "sempre acontece o pior". E isto está comprovado sobejamente pelos fatos: se você escolhe aquele sábado para ouvir tranquilamente o CD novo com os *Noturnos* de Chopin, claro que a prefeitura mandará uma equipe, naquela tarde mesma, quebrar o asfalto em frente à sua casa.

E os jornais? Já reparou que, se você deixa de ler alguma notícia ou artigo, não adianta procurar nos jornais amontados sobre o banco do escritório, porque não vai achar? Isso então é uma coisa irritante, que me põe alucinado. Como é que some exatamente o caderno que estou procurando?!

Vou atrás da empregada.

– Maria, você botou fora algum jornal de ontem pra hoje?

– Não, senhor, dei só alguns jornais velhos para o porteiro, que ele pediu.

– Velhos?! Você deu a ele exatamente o jornal que estou precisando!

Como já disse, não sou supersticioso, mas que há alguma força oculta querendo me sacanear, disso não tenho dúvida.

FRANGO TITE

Não tão rara quanto o peru nem tão frugal quanto o ovo, a galinha, comida de domingo, era naquela época o símbolo da fome nacional. Já muito antes de nós, o Barão de Itararé diagnosticara: "quando pobre come frango, um dos dois está doente".

Tenho proposto com certa insistência que alguém escreva, no Brasil, a sociologia da galinha, ou pelo menos defina o papel da galinha na psicologia nacional (sem alusões ao sexo mal definido como fraco). Na biografia dos brasileiros, na alma de cada um de nós, embrulhados aos nossos sonhos e desejos, estão alguns cacarejos, uns batidos de asa, um ovo roubado, uma clarinada matinal...

Mas foi o Sá quem descobriu a saída. Se durante a semana estávamos condenados ao restaurante do Calabouço, domingo tínhamos obrigação de melhorar o cardápio. E o problema não era simples, pelo menos para mim. No Calabouço, com uma carteira falsa de estudante, eu pagava dois cruzeiros por refeição. Pagamento simbólico evidentemente. Bendito simbolismo que eu, na literatura, tratava com desprezo. Mas, aos domingos, não havia Calabouço: tinha-se que enfrentar mesmo o realismo socialista dos restaurantes da Lapa.

Mas o Sá descobriu que no China da Riachuelo, perto dos Arcos, servia-se aos domingos, por preço de banana, um prato que se chamava, sem rodeios, frango com arroz. E era verdade. Esse prato restaurou em nós a perdida dignidade dos domingos de outrora, iluminados sempre por uma galinha-ao-molho-pardo ou um frango-com-farofa-de-miúdos... Era com outra alma que a gente agora lia os suplementos dominicais, almoçava média com pão e manteiga, e esperava a noite.

Sim, porque o frango era servido precisamente às sete horas da noite. E a freguesia, naturalmente, era grande. A partir das 6 e meia começava a chegar o pessoal que, como quem não quer nada, espiava para as mesas e ficava por ali, esperando lugar – pois o frango era pouco, e ninguém queria correr o risco de degradar seu domingo. Às 7 em ponto, o garçom anunciava:

– Atenção, pessoal, vai sair o tite!

Seguia-se o rebuliço das últimas disputas e arranjos: "Dá licença de botar uma cadeira a mais na sua mesa?" "Mas já tem cinco." "Se não, vou perder o frango..." "Deixa o rapaz sentar." E lá vinha, em pratos feitos que fumegavam por cima de nossa cabeça, na bandeja do Jacinto, o frango com arroz, vendido inexplicavelmente por cinco pratas. Também, quinze minutos depois, quando mal acabávamos de devorar o último farelo do frango, já se ouvia, irônica, a voz do garçom:

– Acabou o tite! Agora só sopa de entulho!

O "tite"... Por que "tite"? Aquele domingo saí com essa pergunta na cabeça. O Jacinto não dizia "vai sair o frango", dizia "vai sair o tite"...

Manifestei minha estranheza aos companheiros de quarto e o Sá, que lia *Novos rumos,* retrucou com desprezo:

– Curiosidade pequeno-burguesa. Vê se algum operário, podendo comer frango por cinco pratas, vai-se preocupar com a gíria do garçom!

O Sá tinha razão. Tratei de esquecer o problema e fomos, mais uma vez, ao frango do China, ao tite com arroz. Mas eu vivia os meus últimos domingos de glória, pois, pouco mais tarde, deparei com o Jacinto tomando Hidrolitol, no Largo da Lapa, e não resisti.

– Tite é o seguinte – explicou-me ele. – O senhor Shio, dono do restaurante, faz as compras da semana todo domingo na feira do Largo da Glória. Os frangos e galinhas são trazidos em engradados, se machucam na viagem e alguns chegam na feira morre-não-morre. O senhor Shio, sabendo disso, vai logo perguntando pros feirantes: "Tem galinha tite? Tem galinha tite?". E assim – continuou Jacinto – compra tudo o que é galinha triste que há na feira. Umas estão apenas tristes, outras já morreram de tristeza, mas o chinês compra assim mesmo. E justifica: "Vai moler mesmo!" – disse Jacinto, soltando uma gargalhada. Eu ri também, mas sem achar a mesma graça. Dentro de meu estômago, acabara de se converter em tristeza a euforia de tantos jantares dominicais, a cinco cruzeiros velhos, velhíssimos. Quando contei a história ao pessoal, o Sá me fuzilou com os olhos: "Você é um estraga-jantares!".

Fez-se um longo silêncio naquele anoitecer de domingo. O Sá falou finalmente:

– Bem, vamos à sopa de entulho!

DUAS E TRÊS

Levei um susto quando aquela voz soprou na minha nuca:

– Se tu é bom, mata essa: "Não durmo no Rio porque tenho pressa, duas e três".

Voltei-me para ver quem falava. Era um homem quarentão, alto e gorducho, de roupas imundas, rasgadas, e cara encardida. Uma cara simpática de gângster regenerado.

Ele ria:

– Mata essa, vamos!

Era de manhã cedo, em junho, e fazia um frio agradável. Acordara e, sem ter para onde ir, sentei-me naquele banco da praça Floriano, em frente à Biblioteca Nacional, à espera de que ela abrisse. Meu velho terno marrom esfiapava nas mangas, o sapato empoeirado, a barba por fazer. "Esse homem está me tomando por um vagabundo", pensei comigo. E achei divertido.

– Matar o quê?

– A charada, meu besta!

O velho se debruçava em cima de mim, com um riso gozador. Fedia a suor e molambo. Afastei-o um pouco, com o braço e, meio sem saber o que fizesse, acedi.

– Como é mesmo a charada?

– Só repito esta vez, tá bom? "Não durmo no Rio porque tenho pressa, duas e três."

Sempre fui um fracasso para matar charadas. Fiz um esforço para penetrar nas palavras, mas em vão.

– Digo mais – esclareceu-me o vagabundo. – Chaves: "Não durmo" e "Rio". Conceito: "pressa"... Mas você é burro, hein?

Donde diabo viera aquele camarada impertinente, para me obrigar a resolver uma charada àquela hora da manhã? Mas meu orgulho estava em jogo. Pensava e o pensamento escapulia.

– Não consigo decifrar. Não me amola.

– Então você perdeu.

– É, perdi.

– Então paga.

– Paga o quê?

– Duas pratas, meu Zé. Você perdeu!

Era incrível. Comecei a rir. Ele também ria e dizia: "Paga, duas pratas". Dei-lhe uma cédula de dois cruzeiros e fiquei ali rindo enquanto ele se afastava arrastando seus sapatos furados.

Semanas depois, estava eu no Passeio Público, quando ele veio com a mesma conversa, como se nunca me tivesse visto. "Mata essa: não durmo no Rio, porque tenho pressa, duas e três." Respondi-lhe em cima da bucha: "Não durmo, velo; no Rio, cidade: velocidade". Ele ficou desapontado. "Você perdeu", disse-lhe eu. "Paga duas pratas." Olhou-me sério, meteu a mão no bolso e estendeu-me duas notas imundas. Fomos tomar juntos um café na Lapa.

SOLIDARIEDADE

Décio, poeta e filósofo radical, vive desde menino as contradições da condição humana. No quintal de sua casa, no Andaraí, observou uma turma de saúvas devastando uma planta. Com pena da planta, tratou de espantar as saúvas, mas com cuidado, para também não machucá-las. Pegava-as uma por uma e ia arrancando-as da pobre planta já bastante mutilada. Só que as saúvas eram muitas e não estavam dispostas a desistir de sua tarefa: enquanto tirava esta, aquela subia pelo caule, outra decepava um talo, outra fugia carregando um pedaço de folha, e a que ele tirara antes já voltava à planta. Nervoso e já perdendo a paciência, Décio compreendeu que a única maneira de salvar a planta era matar as saúvas. Diante dessa constatação, desistiu: por que haveria de salvar uma vida e eliminar muitas outras? Abandonou a planta à sanha das saúvas que, com mais rapidez ainda, a devastaram. É, pensou Décio, não tenho que intervir nesse processo natural, as saúvas também precisam de comer e, se não comerem plantas, morrerão de fome. Esse incidente contribuiu para mostrar-lhe a dura realidade da vida: um comendo o outro.

Mas isso não o tornou menos solidário com as pessoas e os seres que necessitam de ajuda. Ou seja, em lugar de fugir das contradições, Décio mergulha nelas, enfrenta-as como um Quixote, e sofre-lhes as consequências. Assim é que, numa viagem de ônibus do Rio para São Paulo, sentado no último banco, suportou sem reclamar a companhia de um bêbado que ora roncava, ora jogava-se sobre seu ombro, ora caía em seu colo e terminou por vomitá-lo todo. Finda a viagem, Décio, preocupado com seu incômodo companheiro de viagem, desceu com ele do ônibus, perguntou-lhe o endereço e o pôs atenciosamente num táxi.

Certa tarde, a mãe lhe pediu que fosse à rua fazer algumas compras para o jantar. Na esquina adiante, Décio vê caído na calçada um homem que ele, dias atrás, levara até o pronto-socorro do hospital Moncorvo Filho, ali perto: bêbado, ele sangrava com a testa quebrada. Agora, estava ali outra vez, de porre, o esparadrapo na testa. Décio aproximou-se, ajudou-o a se erguer e o aconselhou a ir para casa. O homem, que mal se mantinha em pé, apoiou-se no ombro de Décio. – Onde mora? – perguntou ele ao bêbado. – Ali. – Vou levar você lá – disse Décio, agarrando o homem de modo a poder conduzi-lo. Mal atravessaram a rua, o homem quis entrar no boteco em frente. Décio cedeu, ele pediu duas cachaças, sendo que uma era para o Décio, que não bebe nem chope. – Vai beber, compadre, ou não é meu amigo! Que remédio! Décio deu uma bicada na cachaça ordinária, cuspiu, esperou que o outro engolisse a sua dose e o arrastou para fora do botequim, depois de pagar a bebida com o dinheiro das compras, que, de seu, não tinha um tostão no bolso.

Para encurtar a conversa, chegaram na casa assobradada e velha onde morava o bêbado. Subiu com ele por uma escada íngreme como o Monte Santo, num esforço sobre-humano para evitar que seu protegido rolasse escada abaixo. Ao final da subida, deparou com um cômodo todo dividido por tabiques, lençóis estendidos e folhas de jornal, constituindo os diversos "quartos" onde moravam os hóspedes. Mas, no momento, quase todos em cuecas ou nus da cintura pra cima, formavam rodas de jogo: baralho, dama ou dominó. E o bêbado entendeu de apresentar o Décio a todos os presentes, interrompendo-lhes a jogatina. Era repelido com palavrões. Décio, constrangido, pedia desculpas pelo outro. Até que, não se sabe ao certo por quê, a casa foi invadida por policiais armados que levaram todo mundo em cana, inclusive Décio, que não pôde explicar o que fazia naquele antro de marginais.

CABO DE DOMINGO

Se você gosta da moça e quer tê-la consigo, o caminho legal é pedi-la em casamento. Foi o que fez Antônio Bertoni ao se ver tomado de paixão pela farda de nosso glorioso Exército. Não foi ao General Lott (nesse caso, o pai da moça), mas procurou a Circunscrição de Recrutamento e falou de suas pretensões. A família da moça era exigente: antes de mais nada, seu Antônio, é preciso saber se o senhor está fisicamente à altura de nossa casta filha. E lá se foi o rapaz, amoroso e não seguro, para o Serviço Médico do Exército, onde lhe tiraram a roupa, mediram, auscultaram, pesaram. Seria já um estranho princípio de noivado, mas nem isso: consideraram-no "incapaz".

Quem já teve um amor, sabe o que é isso. Três vezes maldita medicina – pensava Antônio Bertoni em seu quarto vazio –, que toma por taquicardia aquele bater de peito que outra coisa não é senão o pipocar da paixão! E decidiu-se, como verdadeiro apaixonado, a desrespeitar a lei: roubar a moça.

Roubou não é bem o termo: comprou. Foi à Alfaiataria Paissandu e fez a encomenda de uma farda. Uma farda de cabo. E desde então todo fim de semana (só aos sábados e domingos), Copacabana, Tijuca, Flamengo, pelos olhos de suas moças modestas, admiraram o porte do cabo Bertoni. Até que um dia, em frente ao quartel da 2ª Companhia, deram-lhe voz de prisão.

O Conselho de Justiça, vendo que Antônio Bertoni queria apenas "dar-se a ilusão de ser militar", absolveu-o, e o mesmo fez, mais tarde, o Supremo Tribunal Militar.

– Não sabia que seu ato era criminoso?

– Gosto da farda e só queria usá-la aos domingos e feriados.

– Ignorava as possíveis consequências disso?

– Não, mas de que outro modo ser cabo, se o Exército me enjeitou?

Devolveram a Bertoni a liberdade, mas não lhe devolveram a farda de cabo. Ah, liberdade aparente, prisão sem grades, que és tu agora, Copacabana, para um cabo sem farda? Domingos na Tijuca, festivos sábados da Penha, já nada sois! E tanto cabo que sai à paisana, sem licença, arriscando-se mesmo a levar cadeia...

Cabo Bertoni, nessa altura de sua paixão, bato-lhe continência e lhe digo: compre outra farda na Alfaiataria Paissandu.

A ESTANTE

Naquele novo apartamento da rua Visconde de Pirajá pela primeira vez teria um escritório para trabalhar. Não era um cômodo muito grande mas dava para armar ali a minha tenda de reflexões e leitura: uma escrivaninha, um sofá e os livros. Na parede da esquerda ficaria a grande e sonhada estante que caberia todos os meus livros. Tratei de encomendá-la a seu Joaquim, um marceneiro que tinha oficina na rua Garcia d'Ávila com Barão da Torre.

O apartamento não ficava tão perto da oficina. Era quase em frente ao prédio onde morava Mário Pedrosa, entre a Farme de Amoedo e a antiga Montenegro, hoje Vinicius de Moraes. Estava ali há uma semana e nem decorara ainda o número do prédio. Tanto que, quando seu Joaquim, ao preencher a nota da encomenda, perguntou-me onde seria entregue a estante, tive um momento de hesitação. Mas foi só um momento. Pensei rápido: "Se o prédio do Mário é 228, o meu, que fica quase em frente, deve ser 227". Mas lembrei-me de que, ao ir ali pela primeira vez, observara que, apesar de ficar em frente ao do Mário, havia uma diferença na numeração.

– Visconde de Pirajá, 127 – respondi, e seu Joaquim desenhou o endereço na nota.

– Tudo bem, seu Ferreira. Dentro de um mês estará lá sua estante.

– Um mês, seu Joaquim! Tudo isso? Veja se reduz esse prazo.

– A estante é grande, dá muito trabalho... Digamos, três semanas.

Contei as semanas. Não via chegar o momento de ter no escritório a estante sonhada, onde enfim poderia arrumar os livros por assunto e autores. E, mais que isso, sentir-me um escritor de verdade, um profissional, cercado de livros por todos os lados. No dia da entrega, voltei do trabalho apressado para ver minha estante.

– Como é, veio? – perguntei ao entrar.

– Veio o quê?

– Como o quê? A estante!

Não viera. Seu Joaquim não cumprira com a palavra empenhada, ah português filho da... Telefonei para ele sem dissimular, no tom da voz, minha irritação. E ele:

– Como não cumpri? Andei com dois homens de cima para baixo da rua e não encontrei o tal número que o senhor me indicou. Não existe na rua Visconde de Pirajá o número 127, senhor Ferreira.

Fiquei sem ação. Dera a ele o número errado.

– Diga-me o número certo e sua estante estará em sua casa amanhã mesmo.

Fiquei sem palavra. Se não era 127, qual número seria? Não era 227, disso tinha certeza... E o Joaquim ao telefone:

– Qual o número, seu Ferreira?

– É 217, seu Joaquim... É isso, 217.

– Muito bem, 217. Já anotei. Amanhã terá sua estante.

Não tive. Ao chegar em casa e verificar que a estante não estava lá, concluí que havia dado de novo o número errado ao marceneiro. E corri para o telefone a fim de me desculpar.

– Seu Joaquim, é o senhor Ferreira... da estante.

– O senhor está querendo brincar comigo?

Fui tomado por um frouxo de riso, enquanto seu Joaquim, indignado, dizia que não ia mais entregar estante nenhuma, que eu fosse buscá-la, pois já era a segunda vez que subira e descera a Visconde de Pirajá, carregando aquela estante enorme etc. etc. ...

O BRASIL E OS BRASILEIROS

AH, A IMAGEM DO BRASIL

Tipo de cara que eu invejo é aquele que mal chega numa roda de desconhecidos e já se sente à vontade. Fala com voz natural, o olhar tranquilo e encontra logo o assunto que encaixa no ambiente. Um cara assim é descanso para si mesmo e para os outros.

Por isso senti um desafogo quando aquela noite, na casa de uma família argentina, surgiu um brasileiro simpático. Fazíamos todos – eu e os donos da casa – um esforço razoável para manter de pé a conversa e já estávamos naquela de buscar "semelhanças diferentes" entre a língua espanhola e a portuguesa. A dona da casa tentava pronunciar meu nome – José – como pronunciamos nós, os brasileiros.

– Meu nome se pronuncia assim: José – disse eu.

– E o meu se pronuncia assim: Roberto Fernandes Pinto.

Era o brasileiro que entrava de primeira na conversa, mal tinha chegado à casa, junto com outros argentinos, dos quais ele conhecia apenas um. Senti aquela gratidão quase patriótica e lhe estendi a mão calorosamente. Ele seguiu em frente e logo me contou que no hotel lhe haviam roubado a máquina fotográfica com várias lentes. Era jornalista e estava de passagem por Buenos Aires.

– Mas como te roubaram a máquina?

– Deixei as minhas coisas no hotel e fui a Mar del Plata. Quando voltei...

E me narrou detalhadamente como deu por falta da máquina, as reclamações que fez, deu parte à polícia, e foi aí que se deu conta de que a sala estava em silêncio e que ele falava alto, de pé no meio da roda, e falava em português. Disse qualquer coisa em espanhol para ver se ele pegava a deixa, mas não deu certo. Ele seguia em frente alegre e desinibido. E olhava em volta, falando para todos numa língua que eles mal entendiam ou não entendiam absolutamente. E, ao ver que o assunto da máquina chegara ao fim, fez esta afirmação espantosa:

– Imaginem vocês que eu vim a Buenos Aires para fazer umas pesquisas sobre o tango, e para minha surpresa ninguém aqui entende disso.

Bem. Cabe esclarecer que estávamos ali naquela noite para ouvir um poeta popular argentino, que também escreve letras de tango e é um apaixonado pelo tema. O poeta já havia chegado e com ele um grupo de jovens músicos, todos cultores da música popular argentina.

– Você está brincando – disse eu tentando aliviar o ambiente.

– Não estou brincando, não. Os argentinos não entendem de tango. Desgraçadamente, essa é a verdade – insistiu.

O poeta tangueiro, homem de seus cinquenta anos, que sentara no chão, deu uma mirada na direção de nosso patrício, que não se mancou. Longe disso, dirigiu-se ao poeta.

– Diga-me uma coisa – já agora ele falava portunhol – conhece Le Pera?

– Sim – disse o poeta. – Foi um bom compositor de tangos.

– Bom não, ótimo! Mas sabe onde nasceu Le Pera?

– Creio que na Espanha – respondeu o poeta. – Não tenho certeza.

– Não estou dizendo! Na Espanha? Nada disso, amigo, Le Pera nasceu em São Paulo, é brasileiro.

– Não sabia – admitiu o poeta.

E logo Roberto mencionava o nome de outro compositor e onde havia nascido. Ninguém tinha certeza, e ele afirmou vitorioso.

– No Rio. É brasileiro também.

– Vejo que não temos nada nosso – comentou o poeta argentino. – Vai ver que o próprio tango é brasileiro e a gente não sabe...

– Na verdade – disse Roberto – só em dois países se cultivou o tango: na Argentina e no Brasil. Tanto que agora estamos tratando de fundar em São Paulo o Museu do Tango.

Os argentinos ouviam estupefatos o que dizia o nosso intempestivo patrício, ali de pé no meio da sala. Foi então que reparei no seu blusão vermelho de listas negras nas mangas, na sua calça modernosa e nas botas de cor inesperada, cheia de fivelas e botões metálicos. Estava diante do famoso chato brasileiro, o chato de galocha.

– Quem trouxe esse *boludo* pra cá? – perguntou um dos rapazes.

E Roberto seguia em frente:

– Um museu do tango, para defender o verdadeiro, o autêntico tango que está sendo desvirtuado por essa geração de jovens americanizados.

– Preservar o tango dos anos 20? – perguntou o poeta. – Mas Buenos Aires mudou, é hoje uma metrópole moderna. Já não há mais aqui o "compadrito" de andar gingado e lenço no pescoço.

– Alto lá – gritou Roberto. – Me baseio na maior autoridade nesse assunto de música popular que eu conheço na América Latina: José Ramos Tinhorão!

Ali apenas eu sabia quem era Tinhorão, meu antigo colega de jornal, mais tarde estudioso da música popular brasileira. Respeito seu trabalho de pesquisador, mas divirjo de suas teses puristas. No entanto, ali não era o lugar para discutir essas coisas e tudo o que eu desejava era encontrar um meio de calar a boca do chato. E à falta de outro recurso, vencendo minha timidez, disse em voz alta ao dono da casa:

– Pode pôr na vitrola o disco que você queria que eu ouvisse?

– Claro! É de Tom Jobim.

– Quem? – indagou Roberto, sem perder o rebolado. – Tom Jobim? Prefiro Tonico e Tinoco.

Mas ninguém lhe deu trela, e a música afetuosa e bela de Jobim restaurou naquela pequena casa portenha a simpatia pelos brasileiros.

ELEITOR

Por esta época, mas há já bastante tempo, numa cidade perdida no sertão maranhense, Severino, um homem que ganha a vida plantando algodão e cebola-branca, está na varanda da casa de um dos dois donos de seu município. Os dois donos – desnecessário dizer – são inimigos, e Severino tem que ficar com um deles. Ficou com este que agora, entre superior e brincalhão, pergunta-lhe:

– Está pronto pra votar no dia 3?

– Disposto estou, coronel, pronto... (Baixa os olhos para o chapéu velho de palha de carnaúba que segura entre os joelhos) pronto, a bem dizer, não estou não.

– Não tem problema. Na véspera vai um caminhão buscar você e o pessoal do Buriti.

– Mas não tenho chapéu, coronel. O chapéu que tenho é este aqui, de trabalho, velho como o senhor vê.

– Que chapéu, homem! Não é preciso chapéu pra votar. É preciso é o título. Já tem o título?

– Já.

– E então!

– Então é que sem chapéu novo eu não voto não, coronel. E depois não tenho beca nem sapato.

– Está bem. Antes de sair mando buscar no armazém um chapéu pra você.

– E a beca, coronel? O pessoal do governo vai votar todo mundo de beca nova. O Joca Bonfim vai votar com o Dr. Teotônio. Eu disse pra ele que o senhor também tinha fortuna, que...

– Aquele Teotônio é um canalha! Gasta o dinheiro do Estado. Não tenho meios de vestir todos vocês, que diabo! Todo mundo vem aqui com essa conversa. Então votem com o Teotônio, que dá roupa e chapéu!

– Coronel, estamos com o senhor. Mas como é que vou trazer a mulher e as crianças pra cá? Ninguém tem roupa, anda tudo de trapo. O senhor sabe, mulher é bicho vaidoso...

O coronel entrega os pontos, o caboclo sai para receber no armazém (do coronel) o chapéu, a fazenda, os sapatos.

– A que ponto chegou a corrupção! – exclama ele para a mulher, que borda na poltrona em frente.

Ela nem sequer ergue a vista. Sabe de tudo.

REFORMA AGRÁRIA

Com coisa séria não se brinca, e o problema da reforma agrária é sério demais. Verdade é que, de tanto se falar nisso, a coisa vai caindo no terreno da galhofa. O próprio Francisco Julião afirmou certa vez que está vendo o dia em que a reforma agrária se fará, no Teatro Municipal, entre números de canto lírico...

Mas a verdade é que a reforma agrária dá margem a alguns instantes de bom humor, como tudo o que é trágico, aliás. O referido Julião – que não brinca em serviço – tem as suas piadas.

Certa vez foi chamado pelo governador de um estado importante onde começavam a se organizar ligas camponesas.

– Deputado Julião – disse o governador –, não tenho nada contra as ligas, mas quero lhe dizer que sou inteiramente contra o comunismo e não permitirei agitação no meu estado.

– Senhor governador – falou o deputado – não sei bem o que Vossa Excelência entende por agitação. Em certos casos, é preciso agitar um pouquinho. Tanto que até alguns remédios trazem escrito na bula: agite antes de usar. Se não agitar, governador, não faz efeito...

Um episódio engraçado sucedeu em Goiás, onde agora os latifundiários e grileiros voltaram a atacar os lavradores. Certo fazendeiro, muito preocupado com a situação, resolveu dedicar-se ao esclarecimento dos agricultores que trabalhavam em suas terras, a fim de evitar que eles fossem também chamados a se integrar em alguma liga camponesa. Montou o cavalo e foi, de porta em porta, conversando como quem não quer nada.

– Juvêncio – disse a um deles –, você já ouviu falar em comunismo?

– Não, coronel.

– Comunismo, Juvêncio, é um negócio ruim como o diabo, faz você trabalhar e toma tudo o que você planta. Toma a terra, toma o porco, toma a safra. Você não tem direito a nada.

Juvêncio, que ouvira tudo atentamente, comentou:

– Ué, coronel, então nós já tamos aqui num comunismo brabo danado!

PEDRO FAZENDEIRO

Pedro Fazendeiro me contou. Pedro Fazendeiro é um líder camponês de Sapé, na Paraíba, que esteve no Rio com a viúva de Pedro Teixeira, líder paraibano, morto a mando de Agnaldo Veloso Borges, conforme denúncia recente à Justiça. Não sei se vocês sabem que esse Agnaldo agora é deputado e, assim, nada sofrerá. Ele era o 12º suplente de seu partido. Pois bem, onze deputados estaduais renunciaram, inclusive o titular do mandato, para que o responsável pela morte de Pedro Teixeira pudesse escapar à Justiça.

Pedro Fazendeiro me contou.

– O pessoal na Paraíba está numa miséria de fazer dó. A fome é brava. O que se come lá é farinha-d'água com água. E nem sempre: o lavrador ganha cem cruzeiros por dia e um litro de farinha custa isso.

Pedro Fazendeiro me contou que o camponês da Paraíba põe água no fogo e depois joga a farinha dentro. É o almoço e é o jantar. Se há um temperozinho ou sal, ele bota na água pra dar um pouco de gosto. E já há gente comendo capim. Descobriram lá um mato que dá uma espiga que tem certo gosto. Não é gosto bom, mas é gosto. Põem aquelas espigas junto com a água pra tirar o desconsolo da farinha pura.

Houve um caboclo que foi expulso da terra onde trabalhava por ter-se queixado da situação. É proibido queixas. O dono da terra o expulsou e mandou avisar a todos os vizinhos que não lhe dessem trabalho, pois era comunista. O pobre homem rodou o município inteiro com a mulher e os filhos, mas ninguém, de fato, lhe deu trabalho. Não tinham mais o que comer e as crianças choravam de fome. Chegaram a Sapé. Desesperado, o caboclo decidiu se matar e matar a família. Tudo o que possuía, ainda, era um facão de cortar mato. Deixou a família dormir numa ponta de rua e começou a amolar o facão. Que mais podia fazer senão acabar com tudo? Mas uma das crianças acordou chorando e lhe pediu comida. O homem não teve coragem nem de responder e começou a chorar também, já agora sem nem mesmo a solução desesperada que encontrara. Esse homem foi recolhido pelo finado Pedro Teixeira e é hoje um dos membros da Liga Camponesa de Sapé.

Quem me contou foi Pedro Fazendeiro, aleijado de uma perna e um braço em consequência dos tiros que levou, a mando dos fazendeiros. E ele conclui, sorrindo:

– Sou chamado de Pedro Fazendeiro, não porque eu tenha fazenda, mas porque vivo querendo tomar as fazendas dos outros...

RISCO BRASIL

Todo mundo que tem um bicho de estimação – um gato, um cachorro – um dia se pergunta: e se ele morrer, o que faço? onde o enterro? É que ninguém tem coragem de simplesmente jogar no lixo o corpo de seu amigo fiel.

Há a alternativa, surgida mais recentemente, de enterrar o animal de estimação num cemitério de animais, mas nem todo mundo gosta disso, considerando que é levar longe demais esta relação de amizade entre desiguais.

Não sei se dona Maria Teresa chegou a estudar essa hipótese, porque, de fato, parecia-lhe quase uma traição ficar cogitando de onde enterrar o companheiro que, inocente e alegremente, saltava em sua volta abanando o rabo e lambendo-lhe o rosto. Não tomou nenhuma decisão, embora soubesse muito bem que seu cão era bastante idoso. Assim foi que, de repente, o My Friend morreu.

Pode-se imaginar o choque emocional que sofreu dona Maria Teresa, ao deparar com o cão estirado a um canto da área de serviço próximo ao prato de ração. No primeiro momento, achou que ele estava dormindo, embora ele não costumasse dormir naquela posição e com a língua de fora.

– My Friend, My Friend! – chamou ela, tocando-o com a mão.

Como ele não acordou nem se moveu, ela entrou em pânico: seu cãozinho estava morto! Cãozinho é modo carinhoso de dizer, já que My Friend era um vira-lata de tamanho médio e que crescera bastante devido à boa alimentação e o bom-trato.

Depois de enxugar as lágrimas e vencer o pânico, dona Maria Teresa voltou à realidade prática: e agora? onde vou enterrar o My Friend, meu Deus? As ideias mais disparatadas lhe vieram à cabeça, até mesmo a de embrulhá-lo e deixá-lo num terreno baldio. Não, isso não podia fazer com o coitado... E se o enterrasse ali? Sim, podia comprar uma pá, levá-lo até um terreno baldio à noite, cavar uma cova e enterrá-lo. Não importava se se tratava de um terreno baldio ou um jardim, o fundamental era não deixá-lo apodrecendo ao relento, como se fosse um bicho sem dono, um cão vadio, sem pai nem mãe... Logo se deu conta de que essa era uma solução inviável, pois não tinha carro, não conhecia nenhum terreno baldio e nem teria coragem de sozinha levar a cabo essa missão... Nisto é que dá viver sozinha, sem marido, nem filhos... Estava, assim, à beira do desespero, quando se lembrou da Neusinha, sua amiga, antiga companheira de trabalho na prefeitura, que morava numa casa com quintal. Telefonou de imediato para ela e, mal contendo o choro, expôs-lhe seu drama.

– Traz o bichinho aqui pra casa – acudiu-lhe a amiga. A gente enterra ele no quintal.

Maria Teresa ganhou vida nova e tratou de tomar as providências necessárias. Teria que transportar o cadáver de My Friend num táxi e logo viu que não poderia entrar no carro com o bicho morto nos braços. O motorista não iria permitir. Embrulhá-lo numa toalha de banho? Não, ia ficar esquisito... Foi quando se lembrou da caixa de papelão onde viera a sua nova televisão e que era suficientemente grande para caber o corpo do cachorro. Correu ao quarto de empregada onde guardara a caixa, trouxe-a para a área de serviço e pôs o corpo do amigo dentro dela. Para que a caixa não abrisse, recorreu ao rolo de fita gomada e a lacrou. Respirou aliviada, as coisas agora caminhavam para uma solução.

Trocou de roupa, desceu com a caixa pelo elevador e, com a ajuda do porteiro, chegou à beira da calçada onde tomou o primeiro táxi que passava.

– Para o Recreio dos Bandeirantes – disse ao taxista, depois de acomodar-se com a caixa no banco de trás.

O Recreio era longe e as luzes das ruas já estavam acesas. Não se podia dizer que Maria Teresa estivesse feliz mas agradecia a Deus por ter encontrado um jeito de resolver o problema. Perdia-se nesta e outras considerações quando viu que a viagem chegava ao fim.

– Passando a esquina, a terceira casa à direita, informou ao taxista.

O táxi andou mais alguns metros e parou.

– Não é aqui, não, moço, é depois da esquina.

– São vinte reais, madame. Pague e desça do carro.

– Mas...

– Faça o que tou dizendo, antes que eu perca a paciência.

Sem entender nada, ela abriu a bolsa tirou o dinheiro e entregou ao homem. Ao fazer menção de pegar a caixa, ele falou:

– A televisão fica.

– Moço, nesta caixa...

– Desça logo, sua vaca! – berrou o taxista. A televisão fica!

Tremendo de medo, Maria Teresa desceu do táxi, que se afastou rapidamente levando consigo uma bela surpresa para o motorista ladrão.

RISCO BRASIL II

Para quem não leu a crônica anterior, um brevíssimo resumo: uma senhora, tendo morrido seu cão de estimação, colocou-o dentro de uma caixa (onde viera sua nova televisão), e tomou um táxi para ir enterrá-lo no quintal de uma amiga; ao descer do táxi, o motorista lhe cobrou a viagem e ordenou: "a televisão fica"; ela desceu assustada, ele seguiu em frente achando que roubara uma televisão nova em folha. Vejamos o que aconteceu depois disso...

O taxista, que bem podia se chamar Nicolau, tratou de afastar-se daquele bairro o mais depressa que pôde. Embora tivesse sido aquela a primeira corrida da noite – e que bela corrida! –, teria que ir embora para casa, uma vez que a mulher certamente telefonaria para a polícia denunciando o roubo. A chapa do táxi, ela não sabia, pois nervosa como ficara certamente nem pensou em anotá-la, mas podia informar que se tratava de um táxi com uma caixa de televisão no banco de trás.

Ao pensar nisso, logo lhe ocorreu parar o táxi e pôr a caixa na mala. Mas decidiu que era melhor fazer isso bem longe dali, em alguma rua deserta, onde não fosse visto. Aliás, melhor mesmo era sair daquela avenida cheia de carros e tomar um atalho para casa, cortando pelo Alto da Boa Vista.

Foi o que fez. Tomou um retorno, voltou pela pista paralela, cruzou a pequena ponte e rumou na direção do Itanhangá. Em breve estaria subindo pela estrada quase deserta que o conduziria ao outro lado da cidade. Dali era só pegar a avenida Maracanã, depois a avenida Brasil e em breve estaria em casa.

Andava agora entre árvores pela estrada escura e achou que era o melhor momento para parar e transferir a caixa de televisão para a mala do carro. Parou, desceu mas quando estava puxando a caixa para fora, ouviu uma voz:

– Quieto aí, amizade.

Voltou-se e viu um rapaz escuro, de camisa colorida, com um revólver na mão.

– Passa a féria pra cá.

Nicolau estava surpreso e furioso.

– Tudo o que tenho é isto, disse passando para o assaltante as duas notas de dez que recebera de Maria Teresa.

O rapaz guardou o dinheiro e olhou para dentro do táxi.

– Uma televisão novinha?! Agora, sim!... Vamos, entra aí. Você vai me levar em casa.

Nicolau obedeceu e, sob a mira do revólver, deu partida no carro. O assaltante, no banco de trás, ao lado da caixa de televisão, apontava-lhe o revólver para a cabeça.

– Esta tevê deve ter custado uma nota preta, hein, cara! Puxa, maneira, era do que tava precisando! Como é, comprou à prestação? Deve ter comprado à prestação, um fodido como tu não tem grana pra comprar a vista...

O táxi seguia na direção da Muda.

– Tu vai me deixar no Borel, tá legal? É caminho. E se fizer tudo direitinho não te machuco, mas se tu quiser bancar o esperto, cara, aí eu te queimo. Tás me ouvindo?

Nicolau não falou nada.

– Responde, seu merda, tás me ouvindo?

– Tou.

O jovem assaltante falava sem parar, ora gozando Nicolau, ora o ameaçando, até que tomaram o caminho do morro do Borel, onde, para sorte de Nicolau, a polícia fazia uma batida. O táxi foi logo abordado por um carro da polícia, que fez sinal para que parasse. O rapaz, assustado, escondeu o revólver e falou para Nicolau.

– Diz que eu sou um passageiro, senão tu morre.

Mal parou o carro, Nicolau abriu a porta e desceu.

– Aí dentro tem um assaltante – disse ao policial.

Foi tudo muito rápido. O assaltante tentou inventar uma desculpa mas foi revistado pelo policial que lhe tomou o revólver e o algemou. Depois virou-se para Nicolau:

– Pode seguir seu caminho, sem susto. É menos um ladrão para assaltar os cidadãos honestos.

Nicolau tratou de se mandar, antes que outra reviravolta ocorresse. Tomou o caminho de casa e nem pensou mais em guardar a caixa no porta-malas. Encostou o carro em frente à porta e entrou em casa eufórico, carregando a caixa nos braços.

– Maninha, comprei uma televisão nova pra gente!

Maninha, a filha e o filho deles, puseram-se todos em volta da caixa, esperando que o pai a abrisse. Ele cortou a fita gomada com um canivete e ao abrir a caixa não acreditou no que viu. Que diabo era aquilo?!

TEM GRINGO NO SAMBA

O carnaval carioca, que antigamente tomava conta da cidade inteira com bailes nos clubes, desfile de fantasias, blocos da rua com milhares de participantes, blocos de sujo e desfile de ranchos e escolas de samba, limita-se hoje quase somente ao desfile das escolas de samba na Marquês de Sapucaí.

Faz já muitos anos que o desfile das escolas constitui a principal atração do carnaval do Rio. Durante os anos 60 surgiu a Banda de Ipanema, que inspirou o nascimento de outras bandas em diferentes bairros, fez renascer em certa medida o carnaval de rua. Algumas dessas bandas continuam desfilando, inclusive a de Ipanema, que já nada tem da banda de antigamente, tomada que foi pelos travestis e grupos violentos que nela se intrometem, tirando-lhe a graça original.

Mas não só as bandas mudaram; a mudança maior se deu precisamente nos desfiles das escolas de samba, que deviam se chamar agora "escolas de marcha", uma vez que já não se pode chamar de samba a música que cantam e tocam durante o desfile.

Foi nos anos 60 que esse desfile ganhou projeção no carnaval carioca, graças ao interesse do pessoal da zona sul. A coisa começou no Teatro Opinião, com um *show* criado por Thereza Aragão, chamado "A fina flor do Samba", que exibia, em Copacabana, compositores, cantores, passistas e ritmistas das escolas de samba. O público que frequentava o *show* passou a ir ao desfile, que naquela época era, se não me engano, na avenida Rio Branco. Muitos deles não resistiram à vontade de desfilar. A gente criticava: "tem branco no samba!".

Mas os brancos continuaram invadindo o desfile, frequentando os ensaios das escolas e terminaram criando suas próprias alas. Alas de brancos, mas brancos que gostavam de sambar e desfilar. Só que a coisa não pararia aí. Alguns chefes de ala das escolas resolveram ganhar dinheiro com isso: passaram a vender aos brancos fantasias pelo dobro do preço. E se vendiam para brancos da zona sul por que não para outros brancos? Passou a vir gente de São Paulo, Belo Horizonte, Porto Alegre para desfilar nas escolas do Rio. A essa altura, as empresas de turismo entraram no negócio e, de comum acordo com as escolas, passaram a vender pacotes para turistas estrangeiros, incluindo fantasia e lugar seguro no desfile. Uma amiga minha profetizava: no futuro, o desfile vai ser branco na arquibancada, branco desfilando e crioulo na bateria.

Enquanto isso, o desfile também mudava de lugar: da Rio Branco, foi para a avenida Antônio Carlos e finalmente para a Marquês de Sapucaí, onde permanece até hoje. Mas antes, em lugar da passarela projetada por Oscar Niemeyer, eram arquibancadas de madeira e tubos de aço. Com a passarela de concreto armado, as arquibancadas ficaram mais distantes da pista onde passam as escolas, e isso determinou o aumento da altura dos carros alegóricos. Outra mudança foi a limitação do tempo de desfile de cada escola, o que a obriga a um desfile mais rápido e, consequentemente, a acelerar o andamento do samba, que por isso quase virou marcha.

Os gringos, que antigamente compravam nas empresas de turismo um pacote incluindo fantasia e um lugar para desfilar, agora chegam com um mês de antecedência e fazem um curso para aprender a sambar. Alguns já aprendem a tocar o agogô, a cuíca e o tamborim. Enquanto isso, as alas das baianas, as mais tradicionais das escolas, onde desfila a velha guarda feminina, começam a ser desativadas. A profecia de minha amiga era demasiado otimista. Ao que tudo indica, o futuro será gringo na arquibancada, gringo desfilando e gringo na bateria.

Bem, levando tudo isso em consideração, eu, que assisto ao desfile desde 1954, pedi o meu boné. Vou para a Cinelândia tomar o meu chope e ver os blocos de sujos.

MEMÓRIAS QUASE DIVERTIDAS

O GALO

De certos assuntos não gosto de falar, por implicarem demais minha desinteressante pessoa. Falo de Kruchev, de Brasília, de censores, vereadores, roedores. Mas a política não é o meu forte, e, além do mais, tais assuntos requerem indignação e profecia – duas coisas desagradáveis. Caio em mim.

Quando publiquei – faz oito anos – num jornal do Rio um poema sobre a morte de uma galinha, gozaram-me em rádio e jornal: fui intitulado "poeta de galinheiro". O que não só é verdadeiro como altamente elogioso para quem, como eu, vive preso aos quintais da infância. Como disse Murilo Mendes, parafraseando São João, a poesia sopra onde quer. Ou não sopra. Enfim, já escrevi tanto sobre galos e galinhas que não me custa nada voltar ao assunto.

Foi num sanatório de Correas. Eu estava debruçado na janela, olhando os canteiros cheios de flores vermelhas. Creio que essas flores são vulgarmente chamadas de crista-de-galo, e na verdade parecem cristas. Olhava-as e pensava nisso, divagava sobre as relações entre o reino animal e o vegetal: duas cristas, a da planta e a do bicho, semelhantes na aparência, mas que diferença no fundo. As flores murcham pacificamente, liricamente; a crista de galo, mergulhada na trágica condição animal, apodrece na sua tessitura de urina e pânico. As palavras que me passavam pela cabeça podiam não ser exatamente essas, mas...

E eis que diviso, entre as folhas, um galo imóvel, com sua crista vermelha à altura das flores, medindo-se com elas, como para ilustrar meu pensamento. Logo compreendi que se tratava de um equívoco. Sorri, de mim para mim, divertindo-me com o erro de percepção a que me levara o pensamento. Mas a realidade é mais louca do que nós e, nem bem me instalara em minha nova certeza, as folhas se movem e o galo sai de entre elas: o coração bateu forte, a máquina conceitual entrou em pane.

Tentei comunicar essa emoção num poema, que ninguém entendeu. Esta crônica todo mundo entenderá. Mas eu prefiro o poema – escuro e doido como a realidade. Por falar nisso, a quanto está o dólar?

MEU IGUAL, MEU IRMÃO

Não vou mencionar-lhe o nome porque, se ele soubesse desta crônica, ficaria muito chateado. Mas não é só por isso, uma vez que ele não lê jornal algum e, portanto, dificilmente saberia que escrevi sobre ele. É também por escrúpulo. Aliás, a rigor, eu não deveria contar o que vou contar aqui, ainda que sem mencionar-lhe o nome. Não resisto, porém.

Nós nos conhecemos na casa de Mário Pedrosa, em fins de 1951, quando cheguei ao Rio. Ele era um rapaz, como eu, só quatro anos mais velho. Tímido, a barba por fazer, um paletó surrado, sem gravata. E dois olhos enormes e sofridos. Em matéria de aparência, a minha não era muito melhor. Tornamo-nos amigos. Ele era autor de alguns poucos poemas estranhos, que me impactaram. Eu morava numa vaga numa pensão da rua Carlos Sampaio, perto da praça da Cruz Vermelha; ele, não longe dali, com a mãe, num apartamento à rua General Caldwell.

Mais tarde, tornei-me jornalista, casei-me, já não ficava com ele vagabundando dia e noite; mas continuamos amigos, ainda que nos vendo esporadicamente. Tornei-me um poeta conhecido, e ele não, nem nunca o quis. Continuava a trabalhar aqueles mesmos trinta poemas que me mostrou ao nos conhecermos. Um dia os editou num folheto e depois recolheu toda a edição e queimou-a. Noutra ocasião, gravou os poemas num disco. Sumiu por muitos anos.

Meti-me na luta política, escrevi poemas contra a desigualdade social, conspirei contra a ditadura e terminei na clandestinidade. O cerco apertou e fui aconselhado a deixar o país. Na véspera da viagem, estava caminhando à noite pela avenida

Atlântica, o coração apertado por ter que deixar meu país, minha família, meus amigos, quando deparei com ele. Renasci, abracei-o agradecido e ficamos longo tempo conversando. Quando voltei do exílio, sete anos depois, voltamos a nos encontrar por acaso na mesma avenida e rimos da coincidência.

Perdemo-nos de vista. Muitos anos depois ele me procurou para entregar-me a nova e definitiva edição de seus poemas, que já não eram trinta, mas apenas quinze. Junto com os poemas editou sua teoria de uma nova ortografia, em que trabalhara desde aquela época. Queria que eu ajudasse a fazê-la chegar aos presidentes do Brasil e de Portugal, mas também à Unesco e à Academia de Ciências e Letras de Lisboa. Nem tentei dissuadi-lo e o ajudei a encontrar os endereços. Sumiu de novo.

Esta semana, atormentado com problemas pessoais, saí para andar na avenida Atlântica a ver se aliviava a cabeça. Em vez de tomar a direção que sempre tomo, tomei outra e, uma esquina adiante, vejo a figura de um velhinho sorridente que se dirigia a mim, era ele: "Gullar! Você aqui, cara? Pensei que já tinha morrido!". Abraçamo-nos calorosamente, rindo de felicidade. E eu: "Pois também estava certo que você é que já tinha morrido, cara!".

– Não morri não – disse ele – continuo por aí. Fui até a Portugal e vivi lá dois anos!

– Não me diga. E o que foi fazer em Portugal?

– Fui levar à Academia de Ciências de Lisboa a minha teoria ortográfica. Eles nem deram bola, mas não importa. Um dia, quem sabe, acontece alguma coisa e eles concordam comigo.

Eu balancei a cabeça comovido. Continuava o mesmo doido maravilhoso de sempre. Caminhamos juntos durante mais de hora, lembrando coisas, rindo.

– E tuas sobrinhas? – indaguei.

– Ninguém sabe por onde eu ando. Vendi a casinha de Jacarepaguá, comprei um conjugado no Centro, edifício Santos

Vahls, e não disse nada a ninguém. Devem pensar que estou morto.

Na esquina de minha rua nos despedimos. Vi-o afastando--se e pensei comigo: "Até o próximo encontro, amigo, nesta Avenida ou talvez em outra, que ainda não conhecemos".

BONS TEMPOS DIFÍCEIS

Eram tempos difíceis mas felizes. Eu tinha um emprego na revista do Instituto de Aposentadoria dos Comerciários, cujo diretor era João Condé que, com seus irmãos José e Elísio, fundara e mantinha o *Jornal de Letras*. Apesar de ser, de fato, um boletim de informações para os funcionários, a redação da *Revista do IAPC* ostentava alguma colaboração literária. Apesar disto, sua redação ostentava alguns nomes de destaque na vida literária do Rio de então: Lúcio Cardoso, José Condé, Breno Accioly, Hélio Pellegrino... que iam lá apenas para assinar o ponto. Eu era o único que cumpria o horário integral, de manhã e de tarde. Não porque me obrigassem, mas porque ali eu tinha uma sala só minha, com telefone e máquina de escrever. Passava os dias lendo e escrevendo poemas, ou tentando escrevê-los. De vez em quando, me pediam para bater alguma coisa à máquina ou escrever uma colaboração para a revista. Fora daí, era o papo com os amigos. O salário era curto, mas eu almoçava no restaurante popular do próprio IAPC, que ficava ali perto, na rua México. Ao fim da tarde, ia para o Vermelhinho, na rua Araújo Porto-Alegre, em frente à ABI, onde se encontravam pintores, escritores, críticos e alguns vagabundos, como eu, em começo de carreira.

Meu companheiro mais constante era Décio Victório, poeta maldito, que só escrevera trinta poemas e vivia às voltas com eles, fazendo-os e refazendo-os, numa ortografia que ele mesmo inventara. Os poemas eram ótimos, mas ele se negava a publicá-los. Ofereci-me para levá-los aos suplementos a que tinha acesso, mas ele resistiu. Finalmente os editou num pequeno folheto, que com minha ajuda foi dado a vários escritores. Uma semana depois, ele se arrependeu e saiu tomando os exemplares de volta para queimá-los, exceto o meu, que me neguei a devolvê-lo.

Outro amigo, que pouco aparecia por ali, era o Danilo. Herdara do irmão escultor algumas matrizes de medalhões com o rosto de Rui Barbosa, Gonçalves Dias, Castro Alves e outras figuras consagradas do nosso mundo cultural. Mandava copiá-las em gesso e saía oferecendo-as nos escritórios de advocacia ou instituições culturais. As vendas eram raras e, por isso mesmo, passava os dias andando pelas ruas do centro, sempre olhando para o chão, na esperança de achar alguma coisa de valor – uma moeda, um brinco, um cordão de ouro, uma medalha – que pudesse vender ou empenhar na Caixa Econômica.

– Sempre acho algum troço – garantia-me ele. Por estas ruas andam centenas de pessoas por dia. É impossível que nenhuma delas deixe cair alguma coisa no chão.

Apelidei-o de "procurador-geral".

Um dia ele chegou preocupado e me confidenciou:

– Estou ferrado. Meu filho está vindo aí.

Nem sabia que ele tinha filho. Esclareceu que tivera um com uma moça que depois o largara e voltara para sua terra. Estaria agora com uns quinze anos.

– O problema é que, nas cartas que escrevi a ele, contei muita vantagem, disse que estava bem de vida, que era dono de uma fundição de obras de arte. Imaginou quando ele entrar em meu quarto de fundos, fedendo a mofo, na rua Taylor?

– Quantos dias ele vai ficar aqui no Rio?

– Um dia só, de passagem para São Paulo, onde mora o avô dele.

Pensei e encontrei a solução. Liguei para Gérson, que morava, às custas do pai rico, num belo apartamento em Laranjeiras. Expliquei a situação e ele achou divertido. Emprestaria o apartamento a Danilo com empregada e tudo.

– Ele pode almoçar aqui com o filho e você virá de convidado.

Mas não foi preciso. No dia seguinte, Danilo recebeu um telegrama do filho. Voaria direto para São Paulo, com o avô, que iria buscá-lo em Vitória. Eu e Danilo tomamos um porre aquela noite.

ENCONTRO EM BUENOS AIRES

Fazia um mês que eu estava em Buenos Aires e naquela noite chovia muito. Mesmo assim compareci ao lançamento do livro a que me convidara um amigo que, além de amigo, era conterrâneo. Um maranhense que eu não via há tantos anos, autografando livros na capital argentina! E eu, moleque da Camboa, ali. Na minha cabeça revoavam a praça João Lisboa, o botequim do Castro, a campanha eleitoral de 1951, e me sentia bem, ainda que espantado. Havia muita gente, jornalista, discurso, vinho, e o bate-papo se generalizou. Falava-se de tudo: do Peru, do Uruguai, do Brasil. E eis que o amigo surge diante de mim puxando alguém pelo braço.

– Veja quem está aqui: Dick Rooney!

Sim, por incrível que parecesse, era o Dick. Um pouco mais velho, mas com a mesma cara de *boxer* americano e a infalível gravata-borboleta. Abraçou-me com afeto e elegância (a mesma da gravata) e começou a falar. Claro, falava dos maranhenses que teriam vencido na vida, que mantinham no alto o nome do Maranhão.

Eu não parava de me lembrar. Dick Rooney, fim da década de 40, São Luís do Maranhão. Rádio Timbira, PRJ-9. O grande sucesso musical era Dick Farney, cantando *Marina* de Caymmi, com bossa americana, semitonando... Naquela época eu trabalhava como locutor da Rádio Timbira e fui encarregado de apresentar o *show* de Dick Farney no Teatro Artur Azevedo. Com meus dezenove anos, dentro de um paletó com enchimentos nos ombros, suava frio e falava pelos cotovelos. Misturei versos de Guillén com anúncios do sabonete Regina e irritei profundamente o cantor carioca...

Quando voltei a mim, Dick Rooney citava nomes maranhenses.

– Lembras de Patativa do Norte? Está rico, riquíssimo!

O Patativa do Norte cantava na rádio as canções de Vicente Celestino e vendia sanduíches de peru numa porta quase na esquina da praça João Lisboa. Inesquecíveis sanduíches com farofa e azeitona, uma invenção genial. Enquanto vendia, cantava:

Noite alta, céu risonho

A quietude é quase um sonho...

A freguesia cresceu tanto que começou a faltar peru na cidade, pois até então peru era exclusivamente comida de Ano-Novo. Um dia o Patativa bateu na porta de nossa casa. Vinha comprar o peru que meu pai trouxera há pouco de uma de suas viagens pelo interior do estado. Como descobriu que havia um peru no distante quintal de nossa casa, é um mistério que não consigo explicar. Mas isso explica por que o Patativa, de imitador de Vicente Celestino, tornou-se um homem rico.

– E você, Dick, que fez durante esses anos todos?

Depois de conquistar o público de São Luís, Dick se sentiu capaz de fazer o mesmo com o público norte-americano: se mandou para os Estados Unidos. Suponho que New York, Las Vegas, Miami, e um belo dia estava cantando numa boate em Manágua.

– Uma noite – conta ele – entra na boate o presidente Somoza, cercado de guarda-costas...

– Ah, o ditador.

– Sim, Tachito. Pediu pra eu cantar várias músicas brasileiras que ele conhecia, depois me chamou para a mesa dele. Meu prestígio subiu. E ele voltou várias vezes. Ficamos amigos.

– E continuas cantando?

– Acabei de comprar um novo restaurante aqui em Buenos Aires. Você precisa ir lá. É meu convidado.

A noite de autógrafos terminava, tratei de me retirar também. Dick insistiu em levar-me para tomar um uísque e comemorar o nosso encontro. Descemos com um casal amigo e entramos num bar próximo, onde ele, na terceira dose, começou a cantarolar as mesmas canções que lhe haviam dado fama no Maranhão.

– Antes de sair da minha terra – disse ele – prometi a minha mãe que ainda seria um homem rico. Vocês são idealistas, intelectuais, são outra coisa. Meu plano, desde o começo, foi o seguinte: trabalhar até os 50 anos e daí em diante, cheio da grana, gozar a vida.

– Levando em conta que o cara pode morrer antes dos 50, talvez o melhor fosse gozar a vida primeiro – sugeri.

– Mas sem dinheiro, meu? Sem dinheiro não dá!

Claro que não dá. A conversa ia e vinha. Mas eu comecei a me lembrar dos planos que fizera antes para enriquecer. Intitulei-os "planos Rockfeller". Bolei uns quatro, nunca os levei à prática.

– Quantos anos faz que você não volta ao Maranhão?

– Uns cinco.

– Ah, você precisa voltar lá!

Eu sorri. Ele continuou:

– Você não sabe como o Maranhão se desenvolveu. Ponta d'Areia, Olho d'Água, está tudo cheio de casas e motéis. Uma beleza. E sabe que vão construir uma usina siderúrgica junto ao porto de Itaqui?

– Sim, li isso num jornal e fiquei apavorado.

– Apavorado?! Será a salvação do Maranhão!

– Imagino o que pode acontecer. Dizem que essa usina produzirá 12 milhões de toneladas de aço. É quase o dobro do aço que o Brasil produz hoje.

– Formidável...

– Pois é. Mas tenho medo que a cidade comece a crescer loucamente, que se destruam os velhos sobrados e tudo o que constitui o encanto de São Luís. E, depois, a poluição: já pensou o que significa uma siderúrgica dessas proporções junto à cidade? São Luís será coberta por uma gigantesca nuvem negra, e lá se vai o nosso céu azul de anil...

– Falou o poeta...

Nos separamos e o poeta tomou o rumo de casa. No caminho, o espírito de Rockfeller de novo se instalou nele. Pensou na quantidade de gente que seria atraída pela siderúrgica. Operários, técnicos, trabalhadores braçais. Primeiro para construir a usina, depois para trabalhar nela. Nascia o quinto plano Rockfeller: uma série de boates nas cercanias da usina, com muita música e muitas mulheres lindas... Uma mina de ouro!

O problema é saber se esse plano não destoa do projeto geral. Na opinião das pessoas que consultei, não destoa... E, se é assim, mãos à obra!

O FAMOSO DESCONHECIDO

Antes de surgir a fotografia, era a escultura, a pintura e o desenho que fixavam e difundiam a cara das pessoas notáveis. Como as cidades eram pequenas, todo mundo se conhecia. O pintor que se destacava era o Leonardo ou o Pedro da Francisca (Piero della Francesca), que morava ali na esquina. E as pessoas não apenas sabiam quem ele era como conheciam o que ele fazia. Aliás, era por saberem o que ele fazia que elas o admiravam e distinguiam. Um mundo, portanto, muito diferente do nosso, onde a televisão praticamente define a existência pública das pessoas.

O universo da televisão parece habitado por um certo tipo de gente especial, meio de verdade meio fictícia, que nunca ou quase nunca é vista na rua. Quando isso ocorre, ou seja, quando algum desses seres quase imaginários surge em meio aos seres comuns, estes mal creem no que estão vendo e, como sabem que o milagre dificilmente se repetirá, tudo fazem para, de algum modo, guardar consigo um vestígio que seja da mágica aparição: um pedaço de roupa, por exemplo; os mais tímidos se contentam com um autógrafo.

Os seres do mundo televisivo não têm todos o mesmo *status:* há aqueles que são reconhecidos na rua, e o povo sabe o que eles fazem (são os atores, cantores etc.), e há os que são reconhecidos, são famosos (tanto que aparecem na televisão), mas não se sabe direito por quê; às vezes, não se sabe nem mesmo o seu nome. É o meu caso.

Certa vez, na rua São José, no centro do Rio, fui parado por um homem que passava acompanhado da mulher.

– Um momento – pede-me ele, enquanto faz sinal para a esposa que se aproxima. – Quero apresentá-lo a minha esposa... Como é mesmo seu nome?

– Meu nome é Pedro – respondi. Ele ficou atônito.

– Pedro?! É mesmo?

Aproveitei para me afastar rapidamente.

Este talvez seja o caso mais grave de confusão mental que a televisão provoca: o sujeito sabe que eu pertenço ao mundo dos famosos, mas nada sabe de mim, nem mesmo o meu nome. É diferente daquele que sabe o nome, mas não acredita, quando me encontra, que esteja de fato diante de mim, como ocorreu com o sujeito que deu comigo a uma esquina de minha casa. Eu estava de bermudas e com uma sacola de compras na mão.

– Alguém já lhe disse que você é o xerox de Ferreira Gullar?

Bem, dessa vez a descrença se justifica, já que as bermudas e a sacola não se ajustam muito bem a um "mito" televisivo-literário... Mas, noutra ocasião, em que eu estava distintamente trajado, acompanhado de minha mulher e numa livraria, a coisa se repetiu e com um agravante que me deixou realmente surpreso.

Entrara naquela livraria à procura de um livro que logo encontrei e então me dirigi ao balcão para pagá-lo. Um rapaz, que ali estava, indicou-me onde ficava o caixa e, quando me afastei, disse ao ouvido do outro empregado, em voz baixa, alguma coisa que a Cláudia não conseguiu ouvir. Quando, de volta, passei por ele e me despedi, ele me disse:

– Não leve a mal... mas sabe que quase cometo uma gafe com o senhor?

– Como assim? – indaguei sorrindo.

– É que ia lhe perguntar se não é o poeta Ferreira Gullar. Mas logo vi que não é porque eu conheço ele. É mais alto que o senhor.

Fiquei pasmo, sem saber o que dizer. Cláudia me olhou fazendo esforço para não rir. Despedimo-nos e saímos o mais rápido que pudemos para, na rua, cairmos na gargalhada.

Mas quem definiu muito bem todo esse fenômeno foi um bêbado que, ao me ver passar, gritou:

– Ferreira Gullar! Famoso e eu não sei quem é!

Definição lapidar da fama na sociedade massificada.

QUANDO NOS FALHA A MEMÓRIA

– **S**erá que você se lembra de mim?

Essa é uma pergunta desagradável, ainda que justificável. Claro, todo mundo quer ser conhecido e reconhecido (nos dois sentidos). É inegável o prazer que sentimos quando, num banco superlotado, o gerente nos reconhece; mas também quando, na rua, uma criança se lembra de que estivemos na casa dela, de que somos amigo de seus pais. É que ela, a criança, quer ser reconhecida por nós. Se para Descartes pensar era suficiente para afirmar a existência, na vida real precisamos que o outro tome conhecimento de nossa existência para sentirmos que de fato existimos. E daí esse tipo de pergunta desagradável:

– Será que você se lembra de mim?

Desagradável em termos, porque se essa pergunta é feita por uma linda moça, você se sente lisonjeado e até mente.

– Claro que me lembro!

Mas dificilmente essa pergunta é feita por uma linda moça. Lembro-me de uma vez que ia pela rua da Quitanda, ali no centro do Rio, quando surgiu um sujeito baixinho de cabelos encaracolados.

– Tá se lembrando de mim, ó cara?

Tomado de surpresa, olhei para ele e tive a impressão de que o conhecia, talvez de São Luís.

– Lembro, sim. Como vai?

– Lembra mesmo?

Aí hesitei, mas reafirmei.

– Claro! Tá tudo bem contigo?

– Se lembra mesmo então diz meu nome. Como é meu nome?

Senti-me desafiado e de certo modo agredido. Que sujeito mais inconveniente!

– Diz, cara, diz como é meu nome.

– Ora, não me enche o saco, tá bem?!

– Você não disse que me conhecia? Então diz meu nome!

Percebi que ele estava algumas doses acima, e segui em frente sem mais responder.

Esta, porém, não é a única situação difícil que costumo enfrentar por não reconhecer alguém. Para nós, escritores, os momentos de maior tortura são as noites de autógrafos. Estou entre aqueles que, ao sentar àquela mesinha para autografar livros, esquece o nome de toda e qualquer pessoa conhecida que ali surja. A coisa é tão destituída de lógica que, certa vez, esqueci o do León Hirschmann, que, naquela época, era meu companheiro de papo e de chope. Menos mal, porque era um esquecimento tão fora de propósito que caímos os dois na gargalhada.

Menos engraçado foi na noite em que parou em minha frente uma das estrelas de nosso cinema, amiga, companheira de luta contra a ditadura, e me deu um branco. Eu havia voltado do exílio há poucas semanas; e ela, no dia anterior, ao me ver, parara o carro no meio da rua para vir me abraçar. Podia eu, agora ali, perguntar a ela "como é mesmo o teu nome?".

Em pânico, levantei-me da mesa, saí correndo por entre as pessoas, atravessei a rua, fui até o bar em frente, onde estava minha mulher, e perguntei a ela como era mesmo o nome da atriz que tinha me abraçado na rua no dia anterior. Ela respondeu:

– Norma Benguel, seu maluco!

Voltei correndo, sentei de novo à mesa, tomei o livro das mãos dela, abri-o e escrevi-lhe uma belíssima dedicatória. Ela não entendeu nada, pensou talvez que eu, apertado, tinha ido ao banheiro.

Depois desse dia, sempre que me obrigam a uma noite de autógrafos, digo ao pessoal da livraria, assim que chego lá:

– Escutem aqui, não deixem que ninguém saia daqui com livro pra eu autografar, sem levar o nome anotado num pedaço de papel.

– Tudo bem mas sempre há alguém que diz que é seu amigo...

– Pior ainda! Nem que diga que é minha mãe! Tem que anotar o nome num papel.

Com isso resolvi o problema das noites de autógrafos mas, se estou na rua, no *hall* do cinema, sempre aparece alguém para me perguntar se me lembro dele.

A última vez foi em São Luís do Maranhão. Estava lá de visita a minha família, quando topei com um sujeito careca e de bigode. Tinha quase a minha idade.

– Você agora é o famoso Ferreira Gullar. Aposto que não se lembra de mim.

– Não me lembro mesmo.

– Não tou dizendo, ficou importante... Cara, nós brincamos juntos, quando garotos, na rua das Hortas!

– Foi é? E naquele tempo você já era careca e usava bigodes?

O AVESSO DA CIDADE

De um ponto na encosta, à sombra, víamos lá embaixo o cemitério, com a sua profusão de lados. Era talvez meio-dia, e nós dois estávamos ali sentados, cada um com um ramo de flor na mão. As árvores respiravam conosco, mas lá embaixo o mármore e o sol construíam um mundo abstrato, fixo, vazio: o avesso da cidade dos vivos. Olhávamos tudo como se voássemos.

Não era Finados. Era um domingo qualquer, esfera azul de verão onde o mar rugia. Morávamos no Flamengo e porque o domingo amanhecera tão feroz e feliz decidíramos ir ao cemitério como se fôssemos à praia: uma visita ao avesso do dia.

Tomamos um bonde, saltamos e compramos flores: para ninguém, que não tínhamos mortos a lembrar ali. Entramos, e era bom sentir aquele silêncio denso, andar sobre aquela terra dentro da qual se perderam (se perdiam) pessoas que, como nós, viram o domingo, a praia, o passarinho. Depois subimos a encosta, para melhor vermos o cemitério, para melhor nos sentirmos ali enquanto o domingo se precipitava sobre o Rio de Janeiro. Era como se fizéssemos um poema de passos e gestos: um piquenique responsável, um ritual.

Estávamos ali, em silêncio, flores na mão. De repente, o ar buliu, ouvimos vozes. Eram dois homens subindo: um trazia no ombro um esquife de criança, e o outro o seguia. Quando pararam, nos aproximamos. Já o coveiro cobria a sepultura de terra, e sobre ela depusemos nossos dois ramos de flores.

– Ontem enterrei a mãe dele. E à noite ele morreu também.

– Era seu filho?

Era. Nem teve nome.

Descemos os quatro até a carreta que ficara lá embaixo, no início da subida. O coveiro começou a empurrá-la, de volta à capela. O homem parou um instante diante de nós dois. Seu rosto era duro, roído por uma ventania que ninguém sabia donde vinha, mas que ia cavando-lhe a carne. Ele agradeceu as flores, despediu-se e desapareceu no labirinto de mármores. Um anjo de bronze projetava, naquele momento, a sombra de seu braço erguido sobre nós dois. Resolvemos voltar para casa.

A SÁBIA FALA DAS CRIANÇAS

PAIS E FILHOS

A televisão transmite a cara e a voz de alguém que fala, entre outras coisas, em "povo brasileiro". O menino pergunta:

– Mamãe, você é povo brasileiro?

– Sou, todo mundo que mora no Brasil é povo brasileiro.

– Todo mundo, não. Eu não sou povo brasileiro.

A irmã pretende ter entendido:

– Mamãe, ele está dizendo que não é polvo, aquele bicho cheio de pernas.

– Não estou dizendo isso, não! – protesta o menino. Não sou povo porque sou criança. Criança não é povo!

A família está reunida: pai, mãe, dois filhos. A menina tem quatro anos, o menino três. A conversa naturalmente gira em torno de um assunto permanente – a bomba atômica; e outro circunstancial – Papai Noel.

Menino – A bomba *tônica* mora numa casa de fumaça. Ela é grande, ela morde.

Menina – Mas ela só morde a gente. Ela não morde as outras bombas atômicas.

Pai – Por quê?

Menina – Ora, seu bobão, porque ela é igual às outras, não vai morder as amigas dela.

A menina e o menino saem correndo da sala, ninguém sabe por quê. Ouve-se um barulho de coisas caindo no quarto deles. Daí a pouco voltam os dois batendo nos baldes de praia. A menina pula e repete aos berros:

– Papai Noel é contra os anjos! Papai Noel é contra os anjos!

Mãe e pai entreolham-se espantados. Donde essa menina tirou isso?

– Vem cá, minha filha, que é que você está dizendo?

– Estou dizendo que Papai Noel é contra os anjos (fala sem parar de bater no balde, não se ouve direito).

– Por que Papai Noel é contra os anjos? – pergunta a mãe.

– Dia de Natal não é quando Deus faz anos? – diz a menina.

– É.

– Então? Por isso Papai Noel é contra os anjos!

– Ah, exclama a mãe, ela está dizendo que Papai Noel faz anos.

A garota para de bater no balde e fita a mãe, enfurecida:

– Nada disso, sua boba! Estou dizendo que Papai Noel é contra os anjos. Vocês são dois bobões e não sabem de nada!

E a farra continua:

– Papai Noel é contra os anjos! Papai Noel é contra os anjos!

A menina de quatro anos finge que lê numa tampa de caixa de sapatos:

– Para ser feliz no casamento é preciso: obediência, estudança, trabalhoso, saber cozinhar, ter um pai bonzinho que dá muitos presentes, ir à igreja e acreditar no céu.

O garoto menor foi ao Jardim Zoológico e ficou muito impressionado com o surrealismo da realidade: a girafa, a arara, o urso, a leoa e sobretudo o hipopótamo.

– Que que você achou do hipopótamo?

– Ele estava preso, não podia me pegar.

– Sim, mas que tal ele é?

– Ele é um pouco gordo, sabe? E tem uma boca assim grande que faz ele parecer um popota.

A mãe diz à menina:

– Olha, eu sou danada, sou pior que o Lobo Mau. Como criança de qualquer tamanho.

– Mais danada sou eu que como o céu azul e fico toda brilhando.

Ou inventa uma história:

– Era uma vez uma menina tão linda que o nome dela era Caminho das Margaridas...

CORUA

A palavra é nova e foi meu filho, Paulo, de dois anos, quem a inventou. O táxi entrou pelo Corte do Cantagalo, e a Lagoa esplendia sob o luar de maio.

– Corua! – exclamou o menino, pedindo a compreensão dos demais: – corua!

Ninguém sabia o que ele queria dizer e ele insistia. Perguntaram se era coruja, e ele soltou um berro de irritação. Seria coroa? Novo protesto. O chofer do táxi, com rara acuidade, decifrou o enigma:

– Acho que ele está querendo dizer "rua com lua".

Paulo vibrou de contentamento, como um poeta neoconcreto que vê sua mensagem captada. Ficou contente mas não aderiu à frase prosaica do chofer. Continuou a repetir: Corua! Corua!

Mas, lá em casa, além de mim que sou um contumaz inventor de palavras extravagantes, há ainda a Luciana, de quatro anos, que também não fica atrás. Da janela do antigo apartamento, via-se, como na música de Vinicius, o Cristo Redentor e o Corcovado. Logo a avó da menina explicou-lhe o que se via pela janela. O resultado não foi imediato, mas veio. Um belo dia, estoura na rua um foguete de São João. Luciana pula na poltrona, entre excitada e alegre: "O Cristo rebentou! O Cristo rebentou!".

Desconcertante mesmo foi a conversa que ela travou comigo uma semana atrás:

– Papai quando é que você vai morrer?

– Eu? Morrer?! Não sei não, por quê? Está querendo que eu morra?

– Não. Estou perguntando porque pensava que era em janeiro ou junho.

TEM SOL PEQUENO

Praia de marmanjo é praia de segunda mão. Muitos deles não sabem que, ao chegarem à praia depois das nove, ela já foi usada por uma população de banhistas minúsculos, que depois a abandonam sem deixar marca. Minto: às vezes uma pá vermelha, um barco de plástico ficam na areia denunciando os visitantes matinais.

Das seis às oito da manhã – quando o sol é pouco e as ondas mansas – a praia é das crianças. E literalmente, porque as pessoas grandes que ali estão apenas as servem, no seu inquieto veraneio: buscam água no balde, compram picolés, prestam socorros urgentes e respondem a perguntas. Sim, porque na praia há mais problemas do que imagina a nossa vã filosofia, e as crianças os levantam:

– Mamãe, por que o mar não para?

– Por que a areia da praia é branca?

– Quem pôs sal na água do mar?

Mas, quase sempre, não esperam pela resposta, e lá se vão para a água, numa alegria de patinhos jovens. É certo que nem todos têm essa disposição. Há os que têm horror à água, e só se banham à força. Berram, irritam os pais, que às vezes recorrem à violência. Tudo isso em nome de uma regra geral que assegura ser o mar indispensável à saúde.

De fato, muitos estão ali por recomendação médica. Outros, por alvitre dos pais: o mar é o quintal das crianças sem quintal. E na verdade, mesmo os que temem o mar gostam da praia, chafurdam na areia, sujam-se, e há mesmo os que a comem – o que já é sem dúvida um exagero. A praia é cheia de novidades: o avião que passa por cima, o navio que passa distante, os bichinhos da areia, os restos de concha, e mesmo os pedaços de madeira e carvão que as ondas jogam na areia. A luta dos pais é para evitar que as crianças levem esses troços para casa. O que não é fácil!

– Esse presente aqui é para a vovó.

O presente às vezes é um estrepe perigoso ou um trapo sujo de óleo que o menino desenterrou. Outros colecionam baratinhas em caixas de fósforos. E raramente os pais entendem esse estranho interesse por coisas que não são brinquedo:

– Ah, moço, eles deixam de lado as bolas, os baldes, e só querem brincar com essas porcarias.

Quando o sol começa a esquentar, é hora de voltar para casa. Hora de briga. Os meninos resistem, fogem, são pegados e levados à força. Não entendem por que não ficar o dia inteiro ali, onde há sol, ondas, areia e liberdade. Mas vão embora e, em breve, a praia está vazia, como se nada houvesse acontecido.

A FUGA

Olho em volta: onde estão meus companheiros? Eram muitos, mas amigos de fato, três apenas. Onde estão "Espírito" e "Esmagado"? Penso na esquina de rua quieta, o cimento da calçada, sinto, agora, o seu contato na minha perna. A esquina estará vazia a esta hora, nesta tarde. Ou outros meninos talvez comecem ali, sem o saber, a jogar a sua vida.

Foi uma escova de dentes que me fez, agora, pensar neles. Ah, os objetos: esta escova de dentes, que uso todos os dias, só agora se abre e me fala de mim.

Vamos fugir? Essa ideia nos fascinava. Várias vezes ela se impôs a nós, misturada com perspectivas fascinantes. Mas nunca com a decisão daquela vez. A ideia acudiu aos três ao mesmo tempo, e era a solução para nossos problemas: tínhamos, cada um, uma bruta surra à nossa espera, em casa. Há três dias, entrávamos para dormir altas horas da noite e saíamos antes de os adultos acordarem. Mas não poderíamos nos manter assim por muito tempo.

Tínhamos nossas economias. Trabalhávamos à nossa maneira, juntando restos de metal para vender num armazém da Praia Grande (fora alguns expedientes menos honestos). Planejamos tudo: pegaríamos o trem e viajaríamos escondidos até onde pudéssemos; se descobertos, esperaríamos outro, e assim chegaríamos a Caxias, depois a Teresina. E, em Teresina... Em Teresina, que faríamos? Nossas indagações não chegavam até lá.

Precisávamos de alguns troços: sabonetes, pasta de dentes, escova de dentes. Era só. Não sei por que dávamos tanta importância a tais objetos numa hora de tão grave decisão. Fomos a alguns bazares da cidade e roubamos o necessário.

A fuga se daria pela madrugada. Voltaríamos à casa, pegaríamos nossas roupas e iríamos dormir na estação de trem. Tudo acertado, tomamos cada um o rumo de casa. Eram pouco mais de seis horas da tarde.

Entrei escondido e, no quarto, comecei a embrulhar as roupas. A família jantava: ouvia o rumor de pratos, talheres e vozes. Pronto o embrulho, decidi-me a sair, mas, ao cruzar o corredor, vejo meu pai de cabeça baixa sobre o prato. Ouço a voz de minha irmã mais velha. Estremeci. Que saudade já sentia de todos, daquela mesa pobre, daquela lâmpada avermelhada e fosca. Um soluço rebentou-me da boca, e fui descoberto.

Em breve, estava feliz, as pazes feitas. Distribuí meus pertences de viagem entre irmãos: a este o sabonete, àquele a pasta, àquela outra a escova de dentes azul. Azul como esta, que uso hoje.

PENSANDO BEM...

OS AFORISMOS DA CRASE

"A crase não foi feita para humilhar ninguém" – esse aforismo que escrevi em 1955 ganhou popularidade e terminou sendo atribuído a vários escritores, menos a mim: a Paulo Mendes Campos, Rubem Braga, Otto Lara Resende e até a Machado de Assis. E de pouco adiantou a probidade desses escritores (os vivos, naturalmente), apontando-me como o verdadeiro autor do aforismo que àquela altura já passava a ser atribuído a autores estrangeiros...

Nesse particular, aliás, eu não dou sorte. Num encontro aqui no Rio com García Marquez, na casa de Rubem Braga, contaram-lhe que quando me perguntam se sou Ferreira Gullar, tenho a mania de responder: "Às vezes". E o faço por uma razão simples: tenho dois nomes, o outro, de batismo, é José de Ribamar Ferreira. E também porque nem sempre sou capaz de escrever os poemas que o Gullar escreve... ainda que maus. Pois bem, não é que o García Marquez chegou em Portugal e, numa entrevista, atribuiu essa minha frase a Jorge Luis Borges? É claro que tais confusões só me lisonjeiam.

Mas a verdade é que certo dia me vi induzido a escrever uma série de aforismos sobre a crase, esse grave problema ortográfico e existencial que boa parte dos escritores, jornalistas e escrevinhadores em geral não conseguem resolver. A crase tornou-se assim um pesadelo nacional. Hoje menos, porque já ninguém sabe o que é escrever certo ou errado. Mas, naqueles idos de 1955, as pessoas tremiam diante de certos "aa". Talvez por isso o meu aforismo teve tão boa acolhida e rapidamente espalhou-se pelo país.

A mania de forjar aforismos eu a adquiri dos surrealistas, que criaram obras-primas como: "Bate em tua mãe enquanto ela é jovem". Em 1955, no suplemento literário do *Diário de Notícias,* publiquei os meus "Aforismos sobre a crase", antecipados de uma introdução que não vou transcrever aqui porque não tenho comigo o recorte, extraviado em alguma das tantas pastas que guardo no armário do escritório. Os aforismos, tentarei relembrá-los e reconstituí-los. Vamos a eles.

A crase não foi feita para humilhar ninguém.

Maria, mãe do Divino Cordeiro, craseava mal, e o Divino Cordeiro, mesmo, não era o que se pode chamar um bamba da crase.

Zaratustra, que tudo aprendeu com os animais do bosque, veio aprender crase numa universidade da Basileia.

Quem tem frase de vidro não atira crase na frase do vizinho.

Frase torcida, crase escondida.

Antes um abscesso no dente que uma crase na consciência.

Uns craseiam, outros ganham fama.

Os campeões da crase quando erram ditam leis.

Os ditadores não sabem que em frases como a bala *ou* à bala *é indiferente crasear ou não.*

Oh!, Univac, que craseais sem pecado, craseai por nós, que recorremos a vós!

Nota: Univac era o computador mais avançado da época. Anos depois, abro uma revista e lá está um anúncio de página inteira: "A crase não foi feita para humilhar ninguém – computadores IBM". Não me pediram permissão para usar o aforismo, claro, porque ninguém sabia de quem era. E eu estava clandestino, foragido da ditadura, sem poder botar a cabeça de fora. Não me atrevi a cobrar os meus direitos autorais. Mas a IBM bem podia, agora que estamos em plena democracia, pagar o que me deve...

MARAVILHA

Leio que a ciência deu agora mais um passo definitivo. É claro que o definitivo da ciência é transitório, e não por deficiência da ciência (é ciência demais), que se supera a si mesma a cada dia... Não indaguemos para quê, já que a própria ciência não o faz – o que, aliás, é a mais moderna forma de objetividade de que dispomos.

Mas vamos ao definitivo transitório. Os cientistas afirmam que podem realmente construir agora a bomba limpa. Sabemos todos que as bombas atômicas fabricadas até hoje são sujas (aliás, imundas) porque, depois que explodem, deixam vagando pela atmosfera o já famoso e temido estrôncio 90. Ora, isso é desagradável: pode mesmo acontecer que o próprio país que lançou a bomba venha a sofrer, a longo prazo, as consequências mortíferas da proeza. O que é, sem dúvida, uma sujeira.

Pois bem, essas bombas indisciplinadas, mal-educadas, serão em breve substituídas pelas bombas *n*, que cumprirão sua missão com lisura: destruirão o inimigo, sem riscos para o atacante. Trata-se, portanto, de uma fabulosa conquista, não?

E mais. Essa bomba *n* – cujo elemento básico é o nêutron – tem um respeito admirável por certas coisas como prédios, pedras, ferro e os minerais em geral. Pode, por exemplo, ser detonada sobre uma cidade sem danificar as casas. Depois da explosão, pode mesmo alguém chegar à cidade (de avião) sem perceber o que ali se passou. Verá a cidade intacta, como se estivesse em perfeito e tranquilo funcionamento. Mas se entrar nas casas, terá uma surpresa: não encontrará ali nenhuma coisa viva, pois essa bomba disciplinada destrói inapelavelmente tudo que vive: bicho, planta, gente.

Não é formidável? Deixemos de lado certos preconceitos tolos, como esse – antiquado – de ser a favor da vida, e falemos franco: é ou não é uma maravilha essa nova bomba que a ciência nos deu de presente?

E quem sabe não será ela a derradeira maravilha do mundo?

O MELHOR DE NÓS

Sempre que me deparo com uma máquina, mesmo que seja um simples torno mecânico, fico impressionado com o acúmulo de conhecimento, experimentos e trabalho humanos que possibilitaram a sua fabricação. E digo a mim mesmo: "Se dependesse de mim, esta máquina não teria sido feita".

É verdade. De mim e todos os poetas, pintores, músicos, filósofos... que jamais seriam capazes – a exceção é Da Vinci – de pensar a realidade em termos práticos, técnicos, com o propósito de resolver problemas de vital importância para as pessoas. Se dependesse de nós, poetas, artistas, filósofos, a humanidade ainda estaria na Idade da Pedra.

Faz algumas semanas, passei com o carro em cima de um buraco, e uma das rodas empenou. Levei-o a uma oficina e fiquei observando o trabalho do mecânico. Mais uma vez me deslumbrei com a quantidade de conhecimento transformado em tecnologia posta em função para resolver o problema daquela roda empenada. E ficava claro para mim, a cada ação das máquinas e ferramentas, como, ao longo dos anos, pequenas descobertas, inovações, aperfeiçoamentos, em diferentes campos, foram se encadeando e juntando para tornar mais eficaz e precisa a máquina de hoje. E isso apenas ali, naquele mínimo campo da tecnologia. O que dizer então das complexas e sofisticadas máquinas que movem a civilização contemporânea?!

É, nós, poetas, não servimos pra nada...

Será mesmo verdade que não servimos pra nada? Seria se tudo o que importasse na vida das pessoas fossem as questões materiais e práticas. Mas não é assim. Os técnicos, os engenheiros, os operários, os inventores, os empresários, para seguirem adiante, necessitam de um outro tipo de combustível que se não extrai do petróleo nem dos átomos: necessitam dar sentido à sua vida, ao seu trabalho; necessitam de poesia, de sonho, de algum tipo de transcendência ou simplesmente de alegria.

A época moderna, particularmente o século XX, caracterizou-se pela confiança na ciência, na técnica, na objetividade e na razão; a contrapartida foi a subestimação dos valores ditos espirituais, particularmente os mais ligados à emoção e à intuição. Se é certo que há uma arte do século XX e que essa arte ganhou peso e visibilidade na sociedade contemporânea, é impossível ignorar o quanto influiu nela a intenção de substituir o poético pelo científico, o intuitivo pelo racional, e como isso contribuiu para a crise a que ela chegou em nossos dias. Pode parecer contraditório o que digo, quando se considera que um dos traços importantes da arte contemporânea é a irracionalidade e o *nonsense*. A contradição é aparente: os polos opostos se atraem.

Mas o meu propósito aqui não é discutir os problemas da arte contemporânea, e sim afirmar a importância crescente da arte – em suas diferentes manifestações – para o homem de hoje. Mais uma vez posso parecer contraditório, pois logo acudirá ao leitor uma indagação pertinente: a arte, em nossos dias, não está sendo cada vez mais substituída pelo entretenimento? não é a música de má qualidade que prepondera? não é o *pop star* de duvidoso talento que ocupa o maior espaço na mídia? e isso não se estende também ao próprio campo da literatura?

Tudo isso em grande parte é verdade. E esta é precisamente a razão por que, mais que nunca, devemos valorizar a melhor música, o melhor cinema, o melhor teatro, a melhor pintura, a melhor poesia. Certamente não seremos a maioria, não mudaremos os índices de audiência nem inverteremos a lista dos mais vendidos. O que importa é manter viva a chama da verdadeira arte, que afirma e preserva o que de melhor o homem inventou para tornar-se humano.

DRUMMOND, UMA PARTE DE MIM

Como se sabe, nossa vida não é só nossa, uma vez que, além daquela parte que individualmente vivemos, há partes que outros viveram, como dizia um amigo que gostava de beber: "uma parte de minha vida eu vivo, outra parte me contam". Claro, o dele era um caso especial, de amnésia alcoólica, mas eu mesmo, que não costumo tomar porres, de vez em quando ouço de alguém uma parte de minha vida que não me lembro de ter vivido.

E assim também vivo a vida dos outros, ou seja, sem que este outro saiba que entrou na minha vida e até mudou a minha vida. Foi, por exemplo, o caso de Carlos Drummond de Andrade, que nunca tinha me visto mais gordo quando, em 1949, li *Poesia até agora,* livro que reuniu todos os seus livros anteriores.

Imagine o leitor que eu, nascido e criado em São Luís do Maranhão, mal ouvira falar em poesia moderna. Até bem pouco tempo, minha leitura era Bilac, Raimundo Correia, Vicente de Carvalho, sem falar em Camões, Gonçalves Dias e Castro Alves, entre outros. Poesia para mim, portanto, falava de anjos, estrelas, regatos e flores. Abro então o livro de Drummond e leio: "Lua diurética". Levei um susto. Mas isto é poesia? – perguntei-me. "Ponho-me a escrever teu nome com letras de macarrão". Fechei o livro desapontado, mas, em seguida, reconsiderei e decidi informar-me sobre a nova poesia.

Fui para a Biblioteca Pública e lá descobri *O empalhador de passarinhos,* de Mário de Andrade, e *Cinzas do purgatório,* de Otto Maria Carpeaux. Lendo-os, compreendi o que era a tal poesia moderna e voltei a Drummond já menos preconceituoso. Foram os primeiros passos para compreender o grande poeta que estava naqueles poemas, em que se misturavam ironia, irreverência e contida emoção.

A poesia de Drummond, de certo modo, mudou minha vida, porque me revelou uma nova poesia, que não era mais a dos anjos e das estrelas, mas a da vida cotidiana. A poesia que estava na sopa, tomada em algum restaurante sórdido, por alguém com dor de corno. Aprendi que o poeta moderno reconhecia-se um homem comum, igual aos demais, e que encontrava a poesia em situações que qualquer outra pessoa poderia viver.

Tornei-me leitor assíduo de Drummond, lia e relia seus poemas no meu pequeno quarto naquela casa da rua Celso de Magalhães, nº 9, em São Luís. Lia também Bandeira, Murilo Mendes, Jorge de Lima, Mário de Andrade. Mas foram os poemas de *Sentimento do mundo* e *A rosa do povo* que me marcaram profundamente e me revelaram uma nova maneira de ver a vida e falar dela.

Transferi-me depois para o Rio, mas não o procurei, nem a ele nem a nenhum poeta famoso. Um dia, na livraria Agir, lhe fui apresentado por José Condé. Conversava com outros escritores e mal tomou conhecimento de mim. Achei natural, pois já sabia que era tímido e pouco expansivo. Eu não era muito diferente. Impressionaram-me os seus olhos: duas pequenas lentes azuis que pareciam boiar soltas entre as pálpebras. Outra vez, topei com ele ao entrar no elevador do *Correio da Manhã*, na rua Gomes Freire. Ele saía apressado e mal me viu. A última vez que o encontrei foi no enterro de Vinicius de Moraes, muitos anos depois; criticava acidamente a medicina, que não soubera curar com presteza o herpes que lhe havia tomado parte do rosto. Certo dia, um jornal noticiou que eu pretendia candidatar-

-me à Academia Brasileira de Letras. Alguém ligou para ele e, ao referir-se à notícia, ouviu dele o seguinte comentário: "Duvido. Se bem conheço Gullar, isso não passa de fofoca". Mal sabia que, nesse particular, eu lhe seguia o exemplo.

A sua morte me deixou revoltado. Antes de tomar um avião que me levaria a Brasília, passei em seu velório no cemitério São João Batista. Quando os jornalistas me indagaram a respeito, respondi indignado, como se me houvessem agredido brutalmente. Eu estava em estado de choque, o Brasil havia perdido o seu grande poeta.

ALÉM DO POSSÍVEL

Coisa fácil é julgar os outros e difícil é compreendê-los. Já afirmei, aqui, que quem admite a complexidade da realidade não pode ser radical nem sectário, pela simples razão de que, se os problemas são complexos, não serão resolvidos de uma penada. Aliás, toda vez que se tenta fazê-lo, o desastre é inevitável. Mas a tendência mais comum é acreditar nas soluções milagrosas, mesmo porque aceitar que as coisas são complicadas custa muito, a não ser se se trata de nós mesmos. Claro, quando alguém nos acusa de ter agido mal, nossa resposta é sempre que não deu pra fazer melhor. "As coisas são complicadas", a gente argumenta. E são mesmo, mas para os outros também.

Essas considerações vêm a propósito de uma conversa que tive com uma amiga muito querida, que vive sonhando. Devo esclarecer que nasci sob o signo de Virgo e sou, portanto, segundo a discutível astrologia, um tipo *da terra,* que vive pesando e medindo tudo, sem tirar os pés do chão. Tanto isso é verdade que muito raramente escrevo poesia, uma vez que a poesia nos obriga a voar. Essa é a razão por que, quando me perguntam se eu sou o poeta Ferreira Gullar, eu respondo: "Às vezes". Dá então para entender a dificuldade que tenho de discutir certas coisas com uma pessoa do signo de Balança, por exemplo. Essa minha amiga é de Balança, isto é, não só hesita, sobe e desce, como flutua o tempo todo. E por isso, apesar do carinho que nos une, frequentemente nos desentendemos.

– Mas você não vê que isso é loucura, menina?

– Loucura? Só porque desejo ir pro deserto de Atacama catar múmia?

– Não sabia que você agora virou arqueóloga!

– E precisa ser arqueóloga pra ir catar múmia em Atacama?

– Precisa, sim. Mesmo porque aquilo deve ser um campo arqueológico, supervisionado pelo governo chileno. Não pode qualquer pessoa chegar lá e começar a cavucar.

– Você é um chato, ouviu! É por isso que não suporto os virginianos!

– Você não suporta é a realidade, meu amor!

Pedi a conta e saímos amuados do restaurante. Ao chegar em casa, refleti.

– Que diabo tenho eu que ficar botando areia no sonho dos outros?

E, como bom virginiano, aleguei que só falara aquilo temendo que ela entrasse numa fria, se tocasse para o deserto de Atacama e desse com os burros n'água.

No dia seguinte, liguei para ela e me desculpei, expliquei-lhe que minha intenção era apenas alertá-la.

– E você pensa que eu sou maluca? Acha que eu ia mesmo me tocar para Atacama semana que vem?

– Temia que...

– O que você não entende é que tenho necessidade de sonhar, de imaginar coisas maravilhosas. Se as levarei à prática ou não, é secundário. Às vezes levo, como a viagem que fiz ao Himalaia e a outra, a Machu Pichu. Sei muito bem que fazer é mais difícil que sonhar, e por isso mesmo é que eu sonho.

Caí em mim. Lembrei-me de uma coisa que sei e de que às vezes me esqueço: a vida não é só o possível. Sem o impossível, não se vai muito além da próxima esquina.

HOMEM INVENÇÃO DO HOMEM

De algum tempo para cá, passei a refletir sobre esta ideia: nós, seres humanos, somos mais culturais do que naturais.

Não há nada de novo nisso, todo mundo sabe que o que distingue um homem de uma anta ou de um mico-leão – já que os três são animais – é que o homem possui a capacidade de mudar o mundo e, com sua inteligência, criar ferramentas, utensílios e valores: constrói para si um universo próprio que é fruto da cultura. Pode-se, por isso, afirmar que o homem inventa o mundo em que ele vive, tanto o meio físico quanto o meio espiritual.

Embora essas ideias não sejam novas, a reflexão sobre elas levou-me a ver claro algumas coisas. Por exemplo, certa vez ouvi meu querido amigo Darcy Ribeiro afirmar que nós, brasileiros, nascemos de um "Ninguém". Como assim? perguntei. Ele respondeu: "O português comeu a índia e então nasceu um bebê que não era nem português nem índio – era um Ninguém. Esse Ninguém é que deu origem ao brasileiro."

Hoje, quando reconsidero tais afirmações, a partir da ideia de que o homem é um ser cultural, descubro o que havia de errado na tese de meu amigo. É que ele partia da ideia do homem como raça – o branco português e a índia – não como ser cultural. Se assim o fizesse, sua conclusão seria outra. Bastaria pensar o seguinte: se o filho do português e da índia fosse criado na cidade dos brancos, adquiriria a cultura branca e se tornaria um homem branco; se fosse criado na aldeia materna, seria educado como índio e se tornaria índio. É correta a observação de Darcy de que o filho que nasceu do português e da índia era um Ninguém. Mas a verdade é que todos nós – filhos de quem sejamos – nascemos Ninguém, já que só nos tornamos Alguém, ou seja, brasileiros, ou franceses, ou índios ou japoneses, pela cultura. Alguém tem dúvida de que os descendentes de japoneses que nasceram no Brasil, que aqui se criaram e educaram, são brasileiros?

Esse conceito do homem como ser cultural é, além do mais, um antídoto eficaz contra o racismo. Se a identidade efetiva do ser humano é cultural, que importa a sua origem étnica e a cor de sua pele?

O racismo se fundou, nos tempos modernos, em supostas diferenças biológicas que decorreriam da origem étnica distinta; essas diferenças biológicas determinariam a suposta superioridade de uma raça sobre a outra. Mas se a questão se situa no plano cultural, a tese racista se evapora, ficando evidente que o homem não é apenas o bicho que ele é ao nascer, mas o que ele se torna. E o que ele se torna é o que ele aprende, incorpora e inventa. Sim, porque o homem, ente cultural, é também uma invenção de si mesmo.

O cão, o gato, o boi não inventam nada. Nascem com os requisitos necessários à sua sobrevivência. As abelhas constroem suas colmeias hoje do mesmo modo como as construíam há milhares e milhares de anos. Mas o homem nasceu carente e inadaptado e, por isso, teve que inventar desde a faca, o fogo, a roda, a máquina a vapor, o automóvel, o satélite artificial e o computador até Deus. O homem inventou o teatro, a música, a poesia, a pintura, a filosofia. Inventou a cidade. Inventou os valores éticos e o futuro. Inventou o bem e o mal, a fraternidade e a justiça. Pode ser que ele nunca chegue a ser, como indivíduo e sociedade, justo, equânime e fraterno. Mas aspira a isso, tanto aspira que inventou esta sociedade, este homem ideal melhor que ele.

PALAVRAS, PALAVRAS...

Ando descobrindo coisas óbvias acerca do uso da língua, do idioma falado. Uma delas – que me surpreendeu – é que falar é sempre improvisar. E eu até hoje não me tinha dado conta disto! Não sei se você, leitor, já percebeu, mas a verdade é que, quando você pergunta à empregada o que ela sugere para o almoço, sua resposta é um improviso, e tanto ela pode dizer: "por que não se faz a costeleta de porco?" ou "pode ser costeleta" ou... "faz tempo que o senhor não come costeleta"... Enfim, o que importa aqui é mostrar que a frase não está pronta, que ela é apenas uma das possibilidades de formular do falante. Certamente, há os lugares-comuns, frases já prontas que usamos automaticamente, e que foram inventadas por alguém e tão bem inventadas que todo mundo passou a repeti-las.

E disso passei a outro aspecto do uso do idioma: a palavra, a força que têm certas palavras. Por exemplo, a palavra *negro*. Pelas implicações raciais, pela carga de história e preconceito que pesa sobre ela, tornou-se explosiva. Para certas pessoas, referir-se a alguém como negro é quase uma ofensa, quando devia ser natural. Já um conhecido meu, que é negro e justamente revoltado com os preconceitos que experimentou ao longo da vida, radicalizou. "Lá em casa – afirmou ele – ensinei os meninos a não dizerem 'a coisa tá preta'; lá se diz 'a coisa tá branca'". Não pude deixar de rir.

– Você tá de gozação.

– Não é gozação, não. Temos que acabar com essas expressões que são fruto da discriminação.

Lembrei então de outras palavras e expressões que poderiam gerar reações semelhantes. A palavra *amarelo* muitas vezes é usada de maneira que poderia ofender a chineses e japoneses, se é que se consideram mesmo amarelos: "o cara amarelou", "tá amarelo de fome". Quando menino, ouvia as pessoas mais velhas dizerem: "desculpa de amarelo é comer terra", frase que nunca entendi direito, mas que, sem dúvida, está longe de ser um elogio aos ditos amarelos.

Augusto Meyer, em seu livro *Os pêssegos verdes,* informa como a cor amarela, que no Oriente simbolizou a Casa Imperial e, para o poeta grego Píndaro, expressava o esplendor do sol, entrou em desprestígio com Dante, para quem o amarelo era a cor de uma das três caras de Satanás. De lá para cá, o amarelo tornou-se um estigma para judeus e até para prostitutas e leprosos. Isso sem falar em expressões depreciativas, como "imprensa amarela", "sorriso amarelo" e, pior, "ameaça amarela", que esteve em voga durante a Segunda Guerra Mundial, quando os japoneses se aliaram a Hitler.

Como se vê, certas palavras podem gozar de momentos áureos ou períodos negros (com perdão da palavra) e até mesmo adquirirem significado ironicamente contrário ao seu sentido original. Este foi o caso de Pinel, sobrenome de um famoso psiquiatra francês e nome de um pronto-socorro psiquiátrico do Rio. Durante os anos 70, os jovens drogados da zona sul da cidade, quando entravam em surto, eram levados para lá. Em consequência disso, na gíria desses jovens, o nome do médico passou a significar a doença mental que ele se dedicara a tratar.

– Fulano está pinel.

Ou seja, está surtado ou pirou, enlouqueceu. De gíria de um pequeno grupo, a expressão passou à imprensa e à televisão. Nos especiais televisivos da época, que falavam da juventude, era frequente ouvir-se a palavra pinel usada como sinônimo de loucura. Chegou mesmo a ser dicionarizada como tal. Aí, os descendentes do doutor Philippe Pinel, indignados, protestaram.

BIBLIOGRAFIA

(Dados da última edição de cada título)

POESIA

Um pouco acima do chão. São Luís: Edição do autor, 1949.

Poemas. Rio de Janeiro: Espaço, 1958.

João-Boa-Morte: um cabra marcado para morrer (cordel). Rio de Janeiro: Universitária (CPC-UNE), 1962.

Quem matou Aparecida (cordel). Rio de Janeiro: Universitária (CPC-UNE), 1962.

A luta corporal e novos poemas. Rio de Janeiro: José Álvaro, 1966.

História de um valente (cordel). Com pseudônimo José Salgueiro. Rio de Janeiro: PCB, 1966.

Por você por mim. Rio de Janeiro: Sped, 1968.

Antologia poética. São Paulo: Summus, 1983.

Crime na flora ou ordem e progresso. Rio de Janeiro: José Olympio, 1986.

Poemas escolhidos. Rio de Janeiro: Ediouro, 1989.

O formigueiro. Rio de Janeiro: Europa, 1991.

Barulhos. Rio de Janeiro: José Olympio, 1997.

Dentro da noite veloz. Rio de Janeiro: José Olympio, 1998.

Muitas vozes. Rio de Janeiro: José Olympio, 1999.

Um gato chamado Gatinho (poesia infantojuvenil). São Paulo: Salamandra, 2000.

O rei que mora no mar (poesia infantojuvenil). São Paulo: Global, 2001.

Melhores poemas de Ferreira Gullar. São Paulo: Global, 2004.

Na vertigem do dia. Rio de Janeiro: José Olympio, 2004.

Poema sujo – Dentro da noite veloz. Rio de Janeiro: José Olympio, 2004.

Toda poesia. Rio de Janeiro: José Olympio, 2004.

Poema sujo. Rio de Janeiro: José Olympio, 2006.

Em alguma parte alguma. Rio de Janeiro: José Olympio, 2009.

Seus poemas foram traduzidos em quinze países.

CRÔNICAS

A estranha vida banal. Rio de Janeiro: José Olympio, 1989.

O menino e o arco-íris. São Paulo: Ática, 2001. (Coleção Para Gostar de Ler, v. 31)

Melhores crônicas de Ferreira Gullar. São Paulo: Global, 2004.

Resmungos. São Paulo: Imprensa Oficial do Estado de São Paulo, 2006.

CONTOS

Cidades inventadas. Rio de Janeiro: José Olympio, 1997.

Gamação. São Paulo: Global, 1997.

O touro encantado (literatura infantojuvenil). São Paulo: Salamandra, 2003.

TEATRO

Se correr o bicho pega, se ficar o bicho come (em parceria com Oduvaldo Vianna Filho). Rio de Janeiro: Civilização Brasileira, 1966.

A saída? Onde fica a saída? (em parceria com Antônio Carlos Fontoura e Armando Costa). Rio de Janeiro: Grupo Opinião, 1967.

Dr. Getúlio: sua vida e sua glória (em parceria com Dias Gomes). Rio de Janeiro: Civilização Brasileira,1968. (Reeditado, em 1983, com o título *Vargas, o dr. Getúlio*: sua vida e sua glória).

Um rubi no umbigo. Rio de Janeiro: Civilização Brasileira, 1978.

MEMÓRIAS

Rabo de foguete: Os anos de exílio. Rio de Janeiro: Revan, 1998.

BIOGRAFIA

Nise da Silveira: uma psiquiatra rebelde. Rio de Janeiro: Relume Dumará, 1996. (Coleção Perfis do Rio)

ENSAIOS

Teoria do não-objeto. Rio de Janeiro: SDJB, 1959.

Cultura posta em questão. Rio de Janeiro: Civilização Brasileira, 1965.

Augusto dos Anjos ou A vida e a morte nordestina. In: ANJOS, Augusto dos. *Toda poesia*. Rio de Janeiro: Paz e Terra, 1976.

Tentativa de compreensão: arte concreta, arte neoconcreta – *Uma contribuição brasileira*. Rio de Janeiro: Museu de Arte Moderna, 1977.

Uma luz do chão. Rio de Janeiro: Avenir, 1978.

Sobre arte. Rio de Janeiro: Avenir, 1983.

Vanguarda e subdesenvolvimento. Rio de Janeiro: Civilização Brasileira, 1984.

Indagações de hoje. Rio de Janeiro: José Olympio, 1989.

Argumentação contra a morte da arte. Rio de Janeiro: Revan, 1998.

O Grupo Frente e a reação neoconcreta. In: AMARAL, Araci

(Org.) *Arte construtiva no Brasil:* Coleção Adolpho Leirner. São Paulo: DBA/Melhoramentos, 1998.

Etapas da arte contemporânea: do cubismo à arte neoconcreta. Rio de Janeiro: Revan, 1999.

Cultura posta em questão e Vanguarda e subdesenvolvimento. Rio de Janeiro: José Olympio, 2002.

Relâmpagos. São Paulo: Cosac & Naify, 2003.

O autor tem vários artigos e ensaios veiculados recentemente em revistas especializadas, além de textos não publicados.

TRADUÇÕES

JARRY, Alfred. *Ubu rei*. Rio de Janeiro: Civilização Brasileira, 1972.

ROSTAND, Edmond. *Cyrano de Bergerac*. Rio de Janeiro: José Olympio, 1985.

SIRJACQ, Louis-Charles. *O país dos elefantes*. Paris: L'Avant-Scène Théâtre, 1989.

As mil e uma noites. Rio de Janeiro: Revan, 2002.

CERVANTES, Miguel de. *Dom Quixote de la Mancha*. Rio de Janeiro: Revan, 2002.

GENET, Jean. *Rembrandt*. Rio de Janeiro: José Olympio, 2002.

ARTAUD, Antonin. *Van Gogh*: o suicida da sociedade. Rio de Janeiro: José Olympio, 2003.

SOLLERS, Philippe. *O paraíso de Cézanne*. Rio de Janeiro: José Olympio, 2003.

COLEÇÃO CRÔNICAS PARA JOVENS

Ferreira Gullar

Affonso Romano de Sant'Anna

Cecília Meireles

Manuel Bandeira

Marcos Rey

Marina Colasanti

Ignácio de Loyola Brandão

Rubem Braga

IMPRESSÃO E ACABAMENTO
YANGRAF
GRÁFICA E EDITORA LTDA.
WWW.YANGRAF.COM.BR
(11) 2095-7722